DUNKEL WAR'S

DUNKEL WAR'S,
DER MOND
SCHIEN HELLE,
SCHNEEBEDECKT
DIE GRÜNE FLUR,
ALS EIN WAGEN
BLITZES SCHNELLE
LANGSAM
UM DIE ECKE FUHR

Eine Sammlung
von herrenlosen Scherzdichtungen,
älteren und neueren Kindereien,
Klapphornversen, Leberreimen,
Lügenliedern, Gassenhauern und
anderem höheren Unsinn
mit und ohne tiefere Bedeutung

Mit Bildern geziert von Anja Stiehler

Herausgegeben und mit gelehrten
Anmerkungen versehen von Horst Kunze

Verlag Faber & Faber Leipzig

Meiner Mutter

Ein * bei den Quellenangaben der Texte bedeutet,
daß zu den betreffenden Stellen Näheres in den Anmerkungen
am Schlusse des Buches zu finden ist.

INHALT

Sammlungen deutschen Humors gibt es wie Sand am Meer, und Jahr für Jahr erscheinen neue dazu. So verschieden ihr Gesicht auch sein mag, alle schöpfen sie aus den gleichen Quellen, nämlich alten oder neuen Lied-, Gedicht- oder Schwanksammlungen, gesammelten oder nicht gesammelten Werken der klassischen oder nicht klassischen Vertreter deutschen Humors.

Wir wollen die Zahl dieser Sammlungen, für die zwar, wie ihr meist guter Absatz und ihre vielfach hohen Auflagen beweisen, ein Bedürfnis vorliegt, nicht vermehren. Unsere Blütenlese, zu der der Verleger Dr. Ernst Heimeran die Anregung gegeben hat, wurde vielmehr auf einem Felde gehalten, das in doppelter Hinsicht abseits von den bekannten und ertragreichen Fluren liegt. Abseits liegt der Gegenstand unserer Sammlung insofern, als im Bereiche des Komischen unser Blick nicht auf Blüten des Humors, sondern vorwiegend auf Witz, Scherz, Spaß, Ulk, Blühenden Unsinn und Höheren Blödsinn gerichtet war. Abseits lagen aber auch sehr oft die Quellen, zu denen wir uns Zugang verschaffen mußten. Einige dieser Scherze sind zwar berühmt und sogar als geflügelte Worte in den Büchmann eingegangen. Brocken davon kennt jeder. Das Ganze aber und der Zusammenhang, in den sie zu stellen sind, dürften meist unbekannt sein. Es wurde versucht, den Dingen nachzugehen, sie an der Wurzel aufzuspüren und ihre Entstehung zu klären. Dadurch darf diese Sammlung Anspruch darauf erheben, mehr zu sein als nur eine Witzkiste. Um jedoch eine ungestörte Lektüre zu ermöglichen, wurden alle Anmerkungen in einen besonderen Anhang verbannt. Es war leider nicht in allen Fällen möglich, Entstehung und Geschichte unserer Texte zu erforschen, obwohl durchaus die Möglichkeit besteht, daß noch manches geklärt werden kann. Für Ergänzungen und Berichtigungen wird der Herausgeber stets dankbar sein.

Über Gegenstand und Umfang unserer Sammlung unterrichtet am besten und schnellsten ein Blick auf die Inhaltsübersicht. Wir haben den Stoff in zehn Kapitel eingeteilt: Blühender Unsinn, Studentenulk, Allgemeiner Deutscher

Reimverein, Kürze = Würze, Leberreime, Klapphornverse, Gassenhauer und Schlager, Das Blaue vom Himmel herunter, Krähwinkeliaden, Sprachlicher Unsinn. Soweit diese Abteilungen nicht bereits durch ihre Überschriften hinreichend gekennzeichnet sind, wird jeder in den einleitenden Bemerkungen, die den einzelnen Gruppen vorangestellt sind, das Nötigste gesagt finden. Da das Gebiet, aus dem wir unsere Auswahl getroffen haben, sehr groß ist, konnten immer nur verhältnismäßig wenige Proben gegeben werden. Wem die eine oder andere Abteilung besonders zusagt, wird durch die in den Anmerkungen genannten Bücher und Aufsätze sich leicht allein weiterfinden.

Wir haben unsere Sammlung unter den Titel gestellt: »Dunkel war's, der Mond schien helle.« Diese berühmte Folge eröffnet auch das erste »Blühender Unsinn« benannte Kapitel. Hierzu möchten wir von vornherein folgendes klarstellen. Wo heute von Blühendem Unsinn oder Höherem Blödsinn gesprochen wird, fällt meistens der Name Christian Morgenstern. Morgenstern hat sich aber energisch dagegen verwahrt, daß man seine »dummen kleinen Schmetterlinge« zum Unsinn rechne. Sie sind in der Tat Tiefsinn, tiefer Humor, »dessen vielleicht einziger Vorzug gerade in einer gewissen Art von Helligkeit und Schnelligkeit besteht« (Morgenstern). Unsere Unsinnsproben wollen und können sich damit größtenteils nicht messen. Das eine aber haben sie mit den Galgenliedern Morgensterns gemeinsam: auch sie sind dem »Kind im Manne« gewidmet, wie diese wenden sie sich an das sattsam bekannte, in jedem Menschen versteckte Kind, das spielen will. Überall wird das Bestreben sichtbar, die andere Seite aufzuspüren, die bestehende Ordnung abzuwandeln oder zu zerstören, Unvereinbares zu verbinden, Sinn in Gegensinn, Unsinn, Blödsinn zu verkehren. Das Wesen dieses elementaren Triebes hat Friedrich Theodor Vischer in seinem Gedicht »Allotria« folgendermaßen beschrieben:

Sieh, es laufen die Begriffe
Seltsam öfters durcheinander,
Rinnen ineinander über.
Ein Allotrion, was ist's denn?
Was will heißen anderartig?
Was will heißen sogeartet?
Wenn man es genauer ansieht,
Ist das Andre auch das Eine
Und das Eine ist das Andre;
Siehst vom Jenseits du hinüber
Auf das Diesseits, so erscheinet
Als ein Jenseits dir das Diesseits;
Ist von Drüben angesehen
Nicht das Hüben nur ein Drüben?

Dichterische Wke. Bd. 5. 1917, S. 3/4.

Dieser Spieltrieb kann sich nach zwei verschiedenen Seiten hin betätigen, nach der Form oder nach dem Inhalt.
Das Spiel mit der *Form* ist im Sprachlichen Freude am neuartigen Klang. Durch mechanische Verknüpfungen von Wörtern oder Silben werden neue und ungewöhnliche Klangwirkungen erzielt, denen zu Liebe die Inhaltsvorstellungen ganz oder wenigstens teilweise zurücktreten. Solche Verknüpfungen werden gern mit Reimworten hergestellt, ohne Rücksicht auf Sinn- und Bedeutungsgehalt. So in den Abzählreimen der Kinder:

Eller Zeller
Zibbel Zabbel
Rebbel Bebbel
Knoll.

Oder aber – und das ist häufiger und ergiebiger – das Spiel wird mit dem *Inhalt* getrieben. Von der Bedeutung des Wortes her werden ungewöhnliche oder geradezu unvereinbare Beziehungen geknüpft, die, wie verschieden und mannigfaltig sie auch sein mögen, stets von der herkömmlichen Ordnung abweichen oder ihr entgegengesetzt sind. Ob nun das Spiel, dessen Spielregeln wir im letzten Kapitel (Sprachlicher Unsinn) näher erklärt haben, mit dem Klang oder mit dem Inhalt getrieben wird, stets lugt Till Eulenspiegel hervor, der die Vieldeutigkeit der Sprache kennt und es versteht, Sinn in Unsinn zu verwandeln. Es ist wie ein anarchischer Urtrieb, der, sonst durch Sitte, Brauch und Recht gebändigt, hin und wieder durchbricht und im freien Spiel der Phantasie ein Ventil findet. Die Freude daran, die Dinge einmal von einer anderen Seite anzusehen und auf den Kopf zu stellen, ist alt und volkstümlich: die »Verkehrte Welt« (s. S. 92) ist ein altes und beliebtes Motiv der Volksdichtung.

Mit der Feststellung, daß es das Kind im Manne ist, das diese Spiele betreibt, ist auch bereits gesagt, daß hier wie überhaupt engste Beziehungen zwischen Kinderdichtung und Volksdichtung bestehen. Die Freude am Allotria ist ein Naturdrang, ein elementarer Trieb, der das Kind wie den Mann zur Gestaltung treibt. Die Grenzen zwischen Kinderpoesie und Volkspoesie sind fließend – denken wir z. B. wieder an unser Musterbeispiel »Dunkel war's, der Mond schien helle«. Diese Verse gelten gemeinhin als Kinderreime, aber sind sie etwa *nur* Kinderreime? Überhaupt ist der Begriff Kinderdichtung nicht eindeutig. Kinderdichtungen sind nicht immer von Kindern selbst, sondern vielfach von Erwachsenen für Kinder geschaffen, allerdings nicht immer so, daß sie bewußt eigens für Kinder geschaffen wären. Vielfach haben sich Kinderdichtungen aus älteren Dichtungen Erwachsener (man denke nur an das Märchen) herausgebildet, wie ja auch viele Kinderspiele unserer Tage mit alten Gesellschaftsspielen der Erwachsenen in Beziehung stehen. Auf jeden Fall wird unsere Dunkel-war's-Folge zu den von Erwachsenen für kleine und große Kinder geschaffenen Dichtungen gehören.

Wie diese Verse, so ist auch der größere Teil unserer Proben echte Volksdichtung und als Gemeingut wenigstens in dem Sinne verfasserlos, daß ihre Urheber nie bekannt geworden sind. Im Gegensatz zu diesem »Naturblödsinn« ist ein anderer Teil als gelungener »Kunstblödsinn« zu bezeichnen. Diese Gebilde sind vielfach nach bewährten naturwüchsigen Mustern künstlich geschaffen, geschaffen von Männern, in denen das Kind besonders lange lebendig geblieben ist – wir denken zum Beispiel an Heinrich Seidel und Ludwig Eichrodt. Andere Blüten des Kunstblödsinns, die nicht so eingeschlagen haben, daß mit ihnen zugleich auch ihre Schöpfer bekannt geblieben sind, können wir manchmal nicht mehr ihren Urhebern zuweisen, weil diese (die zahlreichen Mitarbeiter der »Fliegenden Blätter« etwa) ihre nur für den Tag geschriebenen Produkte ohne Namensnennung oder unter nicht mehr zu entschleiernden Decknamen veröffentlicht haben. Außer diesen einzelnen Jüngern des Kunstblödsinns wollen wir noch kurz auf einige der berühmtesten literarischen Vereine hinweisen, die neben der ernsthaften Pflege guter Dichtung auch dem Höheren Blödsinn hold waren: der »Tunnel über der Spree«, dessen Zeichen »die Eule der Weisheit mit dem Spiegel der Wahrheit und dem Stiefelknecht des höheren Blödsinns als Sinnbild unendlicher Wehmut« war, der »Verein der Maikäfer«, die »Gesellschaft der Krokodile«, der »S.C.g.h.M. = Schwimm-Club geistig hochstehender Männer« mit dem Zweigverein »Verband der Freunde des Dampfschiffahrts-Sports« und endlich der »Allgemeine Deutsche Reimverein«, dem wir wegen seiner vielseitigen Fruchtbarkeit und wegen der Vortrefflichkeit seiner Erzeugnisse ein besonderes Kapitel eingeräumt haben. Mehrere der freischaffenden Vertreter des Kunstblödsinns waren nebenher auch in einem dieser Vereine organisiert.

Natürlich ist die Poesie des Höheren Blödsinns auch in anderen Ländern gepflegt worden. Besonders in *England* hat sie köstliche Früchte gezeitigt. Die zweifellos berühmteste und beste Sammlung, die es dort auf diesem Gebiete gibt, ist das 1839 erstmals erschienene »Book of Nonsense« von Edward Lear (1812–1888). Lear gilt als der klassische Vertreter der englischen Nonsense-Kurzstrophe, ist aber keineswegs ihr Vater. Sie war schon vor ihm bekannt; um 1820 z. B. war bereits eine illustrierte Sammlung solcher Strophen erschienen, betitelt »Anecdotes and adventures of fifteen gentlemen«. Dort finden sich schon Verse wie die folgenden, den Learschen ganz ähnliche:

There was an Old Man of Tobago,
Lived long on rice and sago;
But at last, to his bliss,
The physician said this –
To a roast leg of mutton you may go.

Diese Nonsense-Strophen werden Limericks genannt, vermutlich nach der irischen Stadt gleichen Namens. Es gab nämlich den Limericks ähnliche Strophen, die wie die Leberreime in Gesellschaften improvisiert wurden und deren Kehrreim die Worte »Will you come up to Limerick?« enthielt. Nach Lear wurde es große Mode, Limericks zu verfassen, von denen allerdings manche »unpublishable« sein sollen. Auch berühmte Namen treffen wir unter den englischen Limerickdichtern: Tennyson und Kipling zum Beispiel. Als eine Probe der Kiplingschen Limerick-Muse etwa die folgenden Strophen in deutscher Übersetzung (nach Adam Kuckhoff, Englands Reimsport: Der Limerick, »Berliner Tageblatt« vom 28.11.1937):

Da war mal 'ne Dame aus Riga,
Die macht' einen Ritt auf 'nem Tiga.
Von dem Ritte zurück,
Grinst' der Tiger vor Glück –
Und die Dame stak drin in dem Tiga.

Ein alter Mann aus Peru,
Der träumte, er äß' seine Schuh.
Voll Grausen erwacht
Fuhr er auf in der Nacht
Und fand, es traf buchstäblich zu!

Zu einer wahren Seuche aber wurde die Limerickmode im Jahre 1908, als nach dem Vorbild der »London-Opinion« zahlreiche englische Zeitungen und Zeitschriften Limerick-Wettbewerbe veranstalteten: zu vier gegebenen Versen mußte ein witziger fünfter Reim hinzugedichtet werden. In derselben Art hat Curt Peiser im »Uhu« (1925/27) neue

Limericks veröffentlicht. Zu vier gegebenen Versen, die mit je einer Abbildung versehen waren, sollte die spaßige Schlußzeile gefunden werden. Solche vollständige Strophen sind:

'Nen Schnupfen bekam einst der selige Ramses,
Er trug nur beim Regen ein Tuch statt des Wamses.
Der Arzt warnte sehr
Und fand kein Gehör,
Drum rief er am Bette ergrimmt: »Na, da hamm' Se's!«

Ein Knab' in – ich glaub: Tehuantoepec –
Der lief auf der Bahn seiner Tante weg;
Sie lief hinterher,
Denn sie liebte ihn sehr
Und außerdem trug er ihr Handgepäck!

Was die *Franzosen* betrifft, so wollen wir nur daran erinnern, daß sie auf dem Gebiete des Wortspiels anerkannte Meister sind. Ihre Calembours und Bonmots sind bekannt. Weniger bekannt dürfte ihr vor allem im 18. Jahrhundert beliebtes Gesellschaftsspiel sein, sogenannte »Calembours figurés« zu erraten. Als Erfinder dieses Spiels gilt der Maler Constantin, der die Wortspiele Bièvres illustrierte. Z. B. »le Théâtre Feydeau« (fait d'os), ein aus Knochen erbautes Theater, »la sœur converse« (qu'on verse), eine Nonne, die aus der Kutsche herausfällt, »l'Amour sans fin« (faim), ein Amor, der nicht essen will.

Mit diesen Scherzen kommen wir schließlich noch auf den *illustrierten Blödsinn* zu sprechen. Bildliche Darstellung, allerdings nur als Beigabe zu den Texten, haben neben den schon erwähnten Limericks besonders die deutschen Klapphornverse gefunden Wie die meisten Klapphorntexte selbst sind auch die dazugehörigen Bilder in den »Fliegenden Blättern« anzutreffen. Viele dieser Bilderscherze sind freilich nicht signiert, so daß ihre Zeichner unbekannt geblieben sind, einige besonders schöne stammen von Meggendorfer, Reinicke und Oberländer. Neben den Klapphornillustrationen haben wir eine besondere, heute fast vergessene Art von Bilderscherzen, nämlich die Krähwinkeliaden, aufgenommen. Sie sind, den Calembours figurés verwandt, nicht illustrative Beigaben, sondern im eigentlichen und engeren Sinne bildlich dargestellter Unsinn.

Schon sehr früh ist ferner die »Verkehrte Welt« in der bildenden Kunst, im Tierbild und im Ornament, dargestellt worden. Aus dem 13. Jahrhundert kennen wir eine bemalte Tonfliese aus einem englischen Kloster; sie zeigt einen Hasen, der hornblasend auf einem Hunde zur Jagd reitet. Aus dem 14. Jahrhundert Miniaturen, auf denen u. a. ein Hase einen erlegten Jäger heimfährt. Ähnliche Szenen wurden von Albrecht und Jörg Glockenton in einem Missale aus dem Anfang des 16. Jahrhunderts dargestellt. Außer diesen Künstlern haben sich noch Virgil Solis und vermutlich auch Lukas Cranach in dieser Richtung betätigt. Und noch im 19. Jahrhundert schließlich taucht die »Verkehrte Welt« – auf einem der »Münchener Bilderbogen« (Nr. 89) – wieder auf, dargestellt von dem Maler Stauber.

Auf eine Lücke unserer Sammlung möchten wir schließlich noch selber aufmerksam machen. Aus naheliegenden Gründen des Wohlanstandes mußten manche Verse und Versreihen weggelassen werden, ohwohl sie berühmt und volksläufig sind; wir erinnern z. B. an die Wirtinverse, von schwereren Geschützen ganz zu schweigen. Es versteht sich von selbst, daß diese Dinge in einer Sammlung, die sich an ein breiteres Publikum wendet, keinen Platz haben. Andererseits möchten wir aber auch nicht Vogel Strauß spielen, sondern an diese ungemein weitverbreiteten Reimereien, die mitunter doch ganz witzig sind, wenigstens erinnern, weil einiges davon eigentlich zu unserem Thema gehörte.

Zum Schlusse noch eine Warnung an allzu »nüchterne« Leser. Gar manche dieser Scherze sind in jener Stimmung und Geistesverfassung entstanden, in die uns eine gewisse Menge alkoholischen Getränks zu versetzen pflegt. Und so sind sie eigentlich auch nur recht zu genießen. Eine Bereitschaft zu solcher Stimmung möchte also mindestens von jedem mitgebracht werden – besser wäre freilich die Tat! Wie Rabelais

seinen Lesern des »Gargantua«, so möchten auch wir allen den guten Rat geben:
»Also – lustig, Jungens! und fröhlich gelesen, damit es Leib und Seele erfrische. Aber vergeßt mir auch das Trinken nicht, ihr Eselsgesichter, sonst soll die Pest euch plagen!«

BLÜHENDER UNSINN UND HÖHERER BLÖDSINN

··· 16

DUNKEL WAR'S

Dunkel war's, der Mond schien helle,
Schneebedeckt die grüne Flur,
Als ein Wagen blitzesschnelle
Langsam um die Ecke fuhr.
Drinnen saßen stehend Leute
Schweigend ins Gespräch vertieft,
Als ein totgeschossner Hase
Auf der Wiese Schlittschuh lief.
Und auf einer roten Bank,
Die blau angestrichen war,
Saß ein blondgelockter Jüngling
Mit kohlrabenschwarzem Haar.
Neben ihm 'ne alte Schachtel
Zählte kaum erst sechzehn Jahr.
Und sie aß ein Butterbrot,
Das mit Schmalz bestrichen war.
Droben auf dem Apfelbaume,
Der sehr süße Birnen trug,
Hing des Frühlings letzte Pflaume
Und an Nüssen noch genug.

Mündlich. *

AKADEMISCHE WANDERLUST

17 ...

Nach Krakelien, nach Krakelien
Nach dem wein- und kümmelseligen
Wirbelt mich, ihr Göttlichen!
Wo die Pfropfe festlich böllern,
Wo aus klaftertiefen Kellern
Nektar und Ambrosia wehn.

Nach Faulenzien, nach Faulenzien
Möcht ich, das Kolleg zu schwenzigen,
Wo selbst der Professor schwenzt;
Wo das Dolce far niente
Langsam fließt, und der Studente
Ruhig wie der Vollmond glänzt.

Nach Schlaraffien, nach Schlaraffien,
Tut mir ein Billett verschaffigen
Für den nächsten Luftballon;
Wo entspringt die Limonaden,
Wo der Ochs ins Maul gebraten
Flieget Adams dümmstem Sohn.

Ludwig Eichrodt, Gesammelte Dichtungen. Bd. 2, Stuttgart 1890. Gekürzt.*

BLÜHENDER UNSINN

Wenn Apoll, der wildeste der Götter,
Mir erscheint im milden Donnerwetter,
Ach, so seufzt die Muse fürchterlich;
Majestätisch rasen Elegien,
Wehmutvolle Dithyramben sprühen
Ihren zarten Rosengift um mich.

Wie der Bär mit leisem Geisterschritte
In der dräuenden Kaninchen Mitte
Furchtsam hüpft und zärtlich brüllend ächzt,
Freund, so tanz' ich auf der Spiegelwelle
Einer Sandbank, wenn das Hundsgebelle
Meiner stillen Muse mich umkrächzt.

Der Begeistrung matte Flüche wogen
Auf zum Throne ... gleich dem Regenbogen,
Dessen Feuer uns unsichtbar brennt;
Blinder Sonnengott, dich seg'n ich grimmig,
Steine folgen dir, wenn tausendstimmig
Dich die Wüste ihren Phöbus nennt.

Johann Georg Messerschmidt. Gekürzt.*

WENN DER VATER MIT DEM SOHNE

Wenn der Vater mit dem Sohne
Auf dem Zündloch der Kanone
Ohne Sekundanten paukt,
Und die kleinste Kreature
In dem Zentrum der Nature
Thymian zu wittern glaubt
– Dann ade, ade, ade,
Dann ade, ade, ade,
Dann ade Schatz, lebe wohl!

Wenn die Sonn' am Firmamente
Mit dem Mond im Viereck rennte
Und ihm treue Liebe schwört,
Und die Menschheit hochbeklommen,
Ob der Dinge, die da kommen,
Tiefe Seufzer fahren hört
– Dann ade, ade ade usw.

Dann ergreift die Hyazinthe,
Ach! voll Wehmut ihre Flinte,
Und der Hartung, auch nicht faul,
Nimmt, das Vaterland zu retten,
Nebst zehntausend Bajonetten
Noch ein Trommelfell ins Maul
– Dann ade, ade, ade usw.

Um 1840. Gekürzt.*

BLAUE LYRIK

Was klingeln matte Lichter
Ob meiner Seele Sumpf –
Was züngeln Quergesichter
Um meiner Hoffnung Stumpf?

O Schlingel Ihr und Wichter
Benagt nur meinen Rumpf –
Ich fühl's, ich bin ein Dichter:
Heut ist Meschugge Trumpf!

Otto Erich Hartleben, »Jugend«, 1898.

··· 20

DER NABEL

Auf des Berges Gipfel saß er
Dreißig Jahre lang;
Seines Nabels Zipfel maß er
Dreißig Jahre lang:

»Dich erforsch ich, alles Lebens
Brenn- und Knotenpunkt;
Ach, mit anderem vergebens
Der Gelehrte prunkt.

Eine Kette eines Nabels
Zieht sich durch die Welt
Schon seit Kains Zeit und Abels,
Bis sie einst zerfällt.

Und ich bin von diesem großen
Nabel abgezwickt;
Drum, ihr Augen, unverdrossen
Nabelwärts geblickt.«

Und so saß er, eine Leiche,
Eines Morgens da,
Nach dem Nabel noch das bleiche,
Stille Antlitz sah.

Kommersbuch der Tübinger Hochschule,
*10. Aufl., Tübingen 1912.**

TRAGISCHE GESCHICHTE

's war Einer, dem's zu Herzen ging,
Daß ihm der Zopf so hinten hing,
Er wollt' es anders haben.

So denkt er denn: »Wie fang' ich's an?
Ich dreh' mich um, so ist's getan –«
Der Zopf, der hängt ihm hinten.

Da hat er flink sich umgedreht,
Und wie er stund, es annoch steht –
Der Zopf, der hängt ihm hinten.

Da dreht er schnell sich anders 'rum,
's wird aber noch nicht besser drum –
Der Zopf, der hängt ihm hinten.

Er dreht sich links, er dreht sich rechts,
Es tut nichts Gut's, es tut nichts Schlecht's –
Der Zopf, der hängt ihm hinten.

Er dreht sich wie ein Kreisel fort,
Es hilft zu nichts, in einem Wort –
Der Zopf, der hängt ihm hinten.

Und seht, er dreht sich immer noch
Und denkt: »Es hilft am Ende doch –«
Der Zopf, der hängt ihm hinten.

*A. v. Chamisso.**

ODE AUF DAS SCHWEIN

Heil dir, geborstetes
Ewig geworstetes,
Dutzend geborenes,
Niemals geschorenes,
Liebliches Schwein.

Dichter begeisterst du,
Eicheln bemeisterst du,
Alles verzehrest du,
Christen ernährest du,
Gütiges Schwein.

Heil dir drum, ewiges,
Immerfort schäbiges,
Niemals gereinigtes,
Vierfach gebeinigtes,
Liebliches Schwein.

»Fliegende Blätter«, Bd. 15, No. 338.

DER ALTE MARABU

Im Schneegebirge Hindukuh
Da sitzt ein alter Marabu
Auf einem Fels von Nagelfluh
Und drückt das rechte Auge zu.

Weshalb wohl, fragst du, Leser, nu,
Weshalb wohl sitzt der Marabu
Im Schneegebirge Hindukuh
Auf einem Fels von Nagelfluh
Und drückt das rechte Auge zu?

Hab' Dank, o lieber Leser du,
Für dein Intress' am Marabu!
Allein weshalb im Hindukuh
Er drückt das rechte Auge zu
Auf einem Fels von Nagelfluh –
Weiß ich so wenig als wie du!

Edwin Bormann, »Flieg. Blätter«, Bd. 84, No. 2112.

DAS KROKODIL

Im heil'gen Teich zu Singapur
Da liegt ein altes Krokodil
Von äußerst grämlicher Natur
Und kaut an einem Lotosstiel.
Es ist ganz alt und völlig blind,
Und wenn es einmal friert des Nachts,
So weint es wie ein kleines Kind,
Doch wenn ein schöner Tag ist, lacht's.

*Hermann Lingg.**

An der Elbe Strande
Sitzt e Krokodil,
Wackelt mit 'm Schwanze,
Wees ne, was es will.

Sachsen.

DIE AMEISEN

Es waren einmal zwei Ameisen,
Die wollten nach Australien reisen.
Doch bei Altona, auf der Chaussee,
Da taten ihnen die Beine weh,
Und so verzichteten sie weise
Auf den letzten Teil der Reise.

Joachim Ringelnatz.

DER ELEFANT

Der Elefant von Celebes
Hat hinten etwas Gelebes.

Der Elefant von Borneo,
Der hat den Rüssel vorneo.

Der Elefant von Sumatra,
Der tanzt mit seiner Omama.

Mündlich.

KLINGSONATE

Grave	Scherzando
Mit	Aus Moor-
Prall-	Gewimmel
Hall	Und Schimmel
Sprüht	Hervor
Süd	Dringt, Chor,
Tral-	Dein Bimmel-
Lal-	Getümmel
Lied.	Ins Ohr.
Kling-	O höre
Klang	Mein kleines
Singt;	Sonett.
Sing-	Auf Ehre!
Sang	Klingt deines
Klingt.	So nett?

Johann Heinrich Voß, Sämtliche Gedichte, Bd. 4, Königsberg 1825.

STUDENTEN-
ULK

··· 26 »In der Tat glauben wir, mit die ersten zu sein, die es versucht haben, den heiligen Schleier zu lüften, der bisher über dem deutschen Hospiz- und Bummelliede geruht hat, diesem von der Bank gefallenen Kinde der tollsten Laune und der sinnigsten Lust ...« so heißt es im Vorwort zur ersten Auflage des »Commersbuches für den deutschen Studenten« (1855). Wir haben uns bemüht, aus dieser Provinz des Studentenliedes ein paar Proben auszuwählen, die besonders charakteristisch sind. Zweierlei ist zu berücksichtigen, wenn man diese besondre Gattung heiteren Unsinns richtig verstehen und genießen will. Das studentische Bummellied ist außerordentlich stark alkoholgeschwängert und verlangt eine geistesgetrübte Bereitschaft. Es wird in einer Gemeinschaft gleichgestimmter Seelen gesungen, und zwar meist sehr ausdrucksvoll gesungen. Hinsichtlich dieser unbedingt dazugehörigen Gemeinschaftsstimmung sind die Bummellieder den Schülerwitzen zu vergleichen. Wie diese entfalten sie ihre volle Wirkung nur dem, der dabei gewesen ist oder Ähnliches selber miterlebt hat. Man hat mit Recht behauptet, schriftlich aufgezeichnete Bummellieder hörten auf, echte Bummellieder zu sein.

Das erste unserer ausgewählten Lieder beginnt mit der unmißverständlichen Aufforderung: »Laßt uns den Verstand vertrinken.« Wer ihr nachkommt, ist bereits auf dem rechten Wege zum Verständnis und Genuß dieser feuchten Musenkinder. Wir haben unserer kleinen Auswahl studentischer Ulklieder etliche der beliebten Stumpfsinnverse angeschlossen, weil zwischen beiden Gattungen eine enge geistige Verwandtschaft besteht. Auch die Stumpfsinnverse sind nur, natürlich mit Gesang, zu genießen in einem Zustande, in dem der Geist bereits stumpf geworden ist. Auch sie entstehen nur in einer Gemeinschaft, und auch ihre Väter sind meist nicht bekannt. Der unbekannte Dichter, der unter dem Decknamen »EOS« 1897 in der »Jugend« neue Stumpfsinnverse veröffentlichte, bittet daher ausdrücklich, »dieses Lied nur im zweiten Teile der Fidelitas, also im Stande der höchsten Unschuld und Unverantwortlichkeit zu singen. Nur dem Geiste, der keine Ahnung mehr hat, entfaltet es die blühende Fülle seiner keuschen Reize. Wer es im nüchternen Zustande liest, hat es sich selbst zuzuschreiben.«

DAS EINZIG WAHRE

Laßt uns den Verstand vertrinken;
Denn was nützt uns der Verstand?
Von der Wiege bis zur Bahre
Ist der Suff das einzig Wahre!
Laßt uns den Verstand vertrinken;
Denn was nützt uns der Verstand?

*F. E. Thiele, Bummellieder d. dt. Studenten, Leipzig 1899.**

UND WENN DER GANZE SCHNEE VERBRENNT

Das Bier, das nicht getrunken wird,
Hat den Beruf verfehlt.

Und wenn der ganze Schnee verbrennt,
Die Asche bleibt uns doch.

Und wenn die Welt zum Teufel geht,
Dann fahr'n wir auf der See.

Lieder zur Drehorgel für Exkneipe u. Bierdorf, Marburg 1908.

STIEFEL MUSS STERBEN

Stiefel muß sterben, ist noch so jung, jung, jung,
Stiefel muß sterben, ist noch so jung.
Wenn das der Absatz wüßt, daß Stiefel sterben müßt,
Würd' er sich grämen bis in den Tod.
Und das will ich ja nicht, und das mag ich ja nicht,
Und meine Mutter leidet das nicht.

F. E. Thiele, Bummellieder d. dt. Studenten, Leipzig 1899.

DER FROSCH

Es ging ein Frosch spazieren
An einem schönen Sommertag,
Wollt' lassen sich frisieren
An einem grünen Gartenhag.
Da sprach der Herr Frisierer:
Ihr Frösch', ihr seid ein dummes Corps,
Wie kann mer euch frisiere,
Ihr habt ja gar keen Hoor!

*Göpels deutsches Lieder- u. Commersbuch, 2. Aufl., Stuttgart (1858).**

WASSERMAUS UND KRÖTE

Eine Wassermaus und eine Kröte
Steigen eines Abends spöte
Einen steilen Berg hinan.
Sprach die Wassermaus zur Kröte:
»Warum gehst du abends spöte
Diesen steilen Berg hinan?«
Sprach zur Wassermaus die Kröte:
»Zum Genuß der Abendröte
Geh' ich diesen Abend spöte
Diesen steilen Berg hinan.«
Dies ist ein Gedicht von Goethe,
Das er eines Abends spöte
Auf dem Sopha noch ersann.

*Deutsches Kommersbuch, Reutlingen (1907).**

IN DER JUGEND UND IM ALTER

Der David und der Salomo,
Das waren arge Sünder,
Sie treiben weidlich sich herum
Und hatten viele Kinder.

Doch als sie nicht mehr konnten so
Von wegen hohen Alters,
Da schrieb die Sprüche Salomo,
Und David seine Psalters.

Göpels deutsches Lieder- u. Commersbuch, 2. Aufl., Stuttgart (1858).

IDYLL

Sie ging zum Bache, die süße,
Die wunderliche Maid.
Sie wollte sich waschen die Füße,
Ju ja, die Füße,
Es war auch die äußerste Zeit,
Ju ja, es war auch die äußerste Zeit.

Als sie gewaschen die Füße –
Das Wasser war schaurig kalt –
Da seufzte die holde, die süße,
Ju ja, die süße:
Jetzt wasch ich sie nimmer so bald,
Ju ja, jetzt wasch ich sie nimmer so bald.

F. E. Thiele, Bummellieder d. dt. Studenten, Leipzig 1899.

··· 30 VOM HERING

Der Hering ist ein salzig Tier,
Es kommt an vielen Orten für.
Wer Kopf und Schwanz kriegt, hat kein Glück,
Am besten ist das Mittelstück.

Es gibt auch eine saure Art,
In Essig wird sie aufbewahrt.
Geräuchert ist er alle Zeit
Ein Tier von großer Höflichkeit.

Wer niemals einen Hering aß,
Wer nie durch ihn von Qual genas,
Wenn er mit Höllenpein erwacht,
Der kennt nicht seine Zaubermacht.

Drum preiset ihn zu jeder Zeit,
Der sich der Menschheit Wohl geweiht,
Der heilet, was uns elend macht,
Dem Hering sei ein Hoch gebracht.

Heinrich Seidel, Allg. Dt. Kommersbuch, 100. Aufl., Lahr 1914.

AUS RUNDGESÄNGEN

Sagt mir doch, wo Halle liegt?
Halle liegt im Tale,
Wo so viele Jungfern sind
als Walfisch' in der Saale.

*Ch. W. Kindleben, Studentenlieder, 1781. (Neudruck Halle 1894).**

Alle:
Freut euch des Lebens, weil noch das Lämpchen glüht,
Pflücket die Rose, eh' sie verblüht.

Einer:
Ein toller Wolf in Polen fraß
Den Tischler samt dem Winkelmaß.

Der Eine meint, der Andre sei
Von Ungeziefer nicht ganz frei.

Am Kirchhof wächst ein Fliederstrauch,
Der Dorfschulmeister orgelt auch.

Um das Rhinozeros zu sehn,
Beschloß einst Gellert auszugehn.

Mit Hilfe der Geometrie
Mißt du der Gurke Inhalt nie.

Das Was? und das Warum? und Wie?
Erklärt dir die Philosophie.

Und das Woher? und das Wohin?
Das lehret dich die Medizin.

Kehrreim aller (nach jeder Strophe):

Und ließ das Veilchen unbemerkt,
Das dort am Wege blühet.

Göpels dt. Lieder- u. Commersbuch, 2. Aufl., Stuttgart (1858).

··· 32

STUMPFSINN, STUMPFSINN*

Stumpfsinn, Stumpfsinn, du mein Vergnügen,
Stumpfsinn, Stumpfsinn, du meine Lust!
Gäb's keinen Stumpfsinn, gäb's kein Vergnügen,
Gäb's keinen Stumpfsinn, gäb's keine Lust.

Der Elefant
Hat hinten den Schwanz,
Und vorne hat er den Rüssel,
Er ist nie allein
Im Käfig sein,
Denn der Wärter, der hat ja den Schlüssel.

Der Frosch ist schön
Ganz unbedingt,
Man kennt ihn besonders am Hupfen,
Ins kalte Wasser
Froh er springt,
Und bekommt doch nie einen Schnupfen.

Auf das Kamel
Sieh' niemals scheel,
Am Herzen, da laß es dir liegen,
Von früh bis spat
Zwei Höcker es hat
Mit dem Schwanz vertreibt es die Fliegen.

Die liebe Kuh
Macht manchmal Muh,
Und manchmal läßt sie's auch bleiben.
Sie gibt uns Milch
Und die Butter dazu
Und läßt auf die Weide sich treiben.

Mündlich.

Der Papagei
Macht viel Geschrei,
Und manchmal, da ist er auch stille.
Die Mamagei
Sie legt ihr Ei
Und gebraucht dazu keine Brille.

Ach wie so brav
Ist doch das Schaf,
Von allen Tieren auf Erden.
Es zeichnet sich aus,
Jahrein und jahraus,
Durch Stumpfsinn und heit're Gebärden.

Im Sommer, das weiß
Ein jedes Kind,
Da bringen die Störche die Kinder,
Im Herbste, da zieh'n
Die Störche fort,
Wer besorgt das Geschäft dann im Winter?

Das Zebra ist,
Wie alle ihr wißt,
Eins der gestreiftesten Tiere,
Es hat nicht zwei,
Nicht Beine drei,
Es hat ja der Beine viere.

Der Ziegelstein
Ist nie allein,
Man findet ihn meistens zu vielen,
Und ist er allein,
So ist er wahrschein –
Lich irgendwo liegen geblieben.

Alle Verse von H. Stillfried, Stumpfsinn-Verse, Boppard (1910).

Wenn du ’ne Spreewald-
Amme hast,
Die dich genährt als Rangen,
So kannste, wennste
Zwanzig bist,
Von ihr das nicht verlangen!

»Lacht euch tot – alle miteinander!« Berlin o.J.

»DER ALLGEMEINE DEUTSCHE REIMVEREIN«

Alle nur möglichen Reim- und Wortspiele wie überhaupt alle Spielarten poetischen Unfugs beherrschten die Mitglieder des »Allgemeinen Deutschen Reimvereins« in höchster technischer Vollendung. Ihm sei daher ein extra Kapitel geweiht.

Im Jahre 1886 erschien in Berlin der »Äolsharfen-Kalender«, dem 1888 als Band 2 und 1896 als Band 3 zwei weitere »Äolsharfen-Almanache« folgten, herausgegeben vom »Allgemeinen Deutschen Reimverein«, nachdem der gleiche Verein vorher schon eine einzelne Nummer einer Zeitschrift »Die Äolsharfe«, bezeichnet als Jahrgang 3, Nummer 8, veröffentlicht hatte. Verantwortlich als »Dichter und Leiter« zeichnete »Hunold Müller von der Havel«, ein Deckname, hinter dem sich der literarisch interessierte und gebildete Chemiker Dr. Emil Jacobsen verbarg. Seine unentbehrlichen Mitarbeiter waren Theodor Jansen = Johannes Trojan, dessen »saures« Gedicht über die »88ziger Weine« hoffentlich noch recht vielen bekannt sein wird, ferner Theophil Ballheim, Inhaber einer literarisch-poetischen Lehranstalt = Julius Stinde, der Verfasser der erfolgreichen »Familie Buchholz«, Johannes Köhnke = Heinrich Seidel und endlich Heinrich Janke-Weimar = Julius Lohmeyer. Die Namen dieser Männer, die zu ihrer Zeit angesehene und erfolgreiche Schriftsteller, zum Teil auch langjährige Mitarbeiter führender Witzblätter (des »Kladderadatsch« z. B.) waren, sind heute etwas verblaßt – mit Ausnahme von Heinrich Seidel natürlich, dessen »Leberecht Hühnchen« noch in alter Frische unter uns weilt. Das ursprüngliche und gesunde Programm dieser durch aufrichtige Freundschaft miteinander verbundenen Männer war, den Dilettantismus auf dem Gebiete der Dichtkunst zu bekämpfen, indem sie ihn der Lächerlichkeit preisgaben. Später sind sie dann über dieses ursprüngliche Programm leider hinausgegangen und haben in die zeitgenössische literarische Polemik eingegriffen – aber das geht uns hier nichts weiter an. Wenn auch ihr Unternehmen also einen tieferen pädagogischen Sinn gehabt hat, so hat doch ohne Zweifel die unbeschwerte Freude am platten Unsinn eine bedeutende Rolle beim Abfassen ihrer trefflichen Poetereien mitgespielt. Die heute selten gewordenen Veröffentlichungen des »Allgemeinen Deutschen Reimvereins« sind für jeden, der Sinn für literarischen Unfug hat, ein Quell reinster Freude.

BUNDESLIED DES ALLGEMEINEN DEUTSCHEN REIMVEREINS

Des Dichters Lust ist Reimen
Und nicht nur im Geheimen,
Auch frei und öffentlich
Übt in der Kunst er sich.
Reimauf! Reimauf! Reimauf!

Am besten doch im Maien
Reimt's, Brüder, sich im Freien,
Wenn das Blaublümlein blinkt
Und man Getränke trinkt.
Reimauf! Reimauf! Reimauf!

Das Reimen führt die Truppe
Auf des Parnasses Kuppe.
Wenn wir da oben steh'n,
O wie erschallt es schön:
Reimauf! Reimauf! Reimauf!

Da liegen wir den Musen
Entzückt am Götterbusen,
Wo die Kastalia quillt,
Lorbeer gedeiht da wild.
Reimauf! Reimauf! Reimauf!

Th. Janzen (d. i. J. Trojan), Äolsharfen-Almanach, Bd. 3, 1896. Gekürzt.

··· 38 **AN EVELINE**

Im Tal, wo sich die Uferwände winden
Und lieblich sich des Baches Bogen biegen,
Wo sich die sanften Silberwogen wiegen,
Da blühen duftend am Gelände Linden.

Ach könnt' ich dort, was gern ich fände, finden!
Doch Hoffnungen, einmal entflogen, fliegen
Hinab, wo alle, die gelogen, liegen,
Und niemand kann, wer gern sie bände, binden.

Dort, Eveline, war's, wo Liebe logen
Mir deine Augen, die in blauster Bläue
Mich in dem süßesten der Triebe trogen.

Dort durft' ich dich an meinem Herzen herzen!
Doch weh, o Seele, wenn du traust der Treue
Und fühlen mußt, wie Höllenschmerzen schmerzen.

Kuno v. Waldenburg (Isidor Rosenstein) (d. i. Heinrich Seidel)
Äolsharfen-Kalender für 1886.

BEGNÜGE DICH, LIEBSTE!

Motto: Wohl kann ich Dich zum Schokoladenladen laden
Doch nicht mit Dir in Baden-Baden baden.

Ich kann dir nicht, was andre schenken, schenken,
Und nicht die Welt aus den Gelenken lenken,
Du darfst dich nicht auf Schmuck und Spitzen spitzen,
Wirst nicht mit mir auf gold'nen Sitzen sitzen.

Jedoch, der ich des Dichters Habe habe,
Vermag es, daß dich and're Labe labe:
Schon fühl' ich es von Liederkeimen keimen,
Ich will sie dir in gold'nen Reimen reimen,
Daß dir gar lieblich ihr Getöne töne
Und dich der Verse Schmuck verschöne, Schöne.

Johannes Köhnke (d. i. H. Seidel), Äolsharfen-Almanach, Bd. 2, 1888.

AN MEINE LAUTE

Im leisen und im lauten Spiel
Ertöne süß mein Lautenspiel,
Und muß ich um was Liebes leiden,
Verkläre du mein Liebesleiden.
Und laß dein holdes Saitenklingen
Wie Gold nach allen Seiten klingen,
Daß Niemand ahnt beim Liederklang,
Wie nur aus Schmerz mein Lied erklang!

Johannes Köhnke (d. i. H. Seidel), Äolsharfen-Almanach, Bd. 2, 1888.

ES WAR EIN TRAUM!

Es war ein Baum,
Der sollte Früchte tragen,
Er aber trug sie nicht!
Es war ein Traum! –

Am Waldessaum
Der Fink sollt' Lieder schlagen,
Er aber schlug sie nicht!
Es war ein Traum!

»Hoffnung ist Schaum!«
Wird der Verleger sagen,
Kaufen dein Buch sie nicht!
Es war ein Traum!

Roderich Bahlke (d. i. H. Seidel), Die Äolsharfe, Jg. 3, No. 8.

WENN DICH

Wenn dich die Ringelnattern giftig stechen,
Und Wiedehopfe Böses von dir sprechen,
Veracht' sie ruhig, ohne dich zu rächen,
Denn auch die Größten haben ihre Schwächen,
Und selbst der Elefant soll sich bezechen.

Äolsharfen-Almanach, Bd. 2, 1888.

DERGL

Es blickte träumend in die Höh',
Vor Liebe seufzend usw.,
Ein Blümlein auf Ackers Mergel,
Das stand unter Unkraut und dergl.

Die Äolsharfe, Jg. 3, Nr. 8.

DES DICHTERS TOD

Der große Dichter Friedrich Meyer
War auch ein Freund der Kletterei,
Er fiel vom Fels mit seiner Leier,
Da waren sie und er entzwei.

Th. Janzen (d. i. J. Trojan), Äolsharfen-Almanach, Bd. 2, 1888.

KÜRZE – WÜRZE

··· 42 Fruchtbaren Boden hat der heitere Unsinn in der volkstümlichen Spruchdichtung gefunden. Wir haben in dieser Gruppe kurze Leseproben aus verschiedenen bekannten kurzstrophischen Gattungen zusammengestellt, als da sind: ABC-Verse, Wetterregeln, Stammbuchverse, Grabschriften, Volks- und Kinderreime, Schnaderhüpferln, ohne damit behaupten zu wollen, daß heiterer Unsinn nur auf diesen Gebieten der Spruchdichtung anzutreffen ist. Echtes und unechtes Wortgut ist da nicht immer scharf zu trennen. Wir haben auf eine solche Trennung ganz verzichtet, da ja für unsere Auswahl kein streng volkskundlicher Gesichtspunkt maßgebend war. Sinn und Bedeutung der einzelnen Gattungen dürften schon durch ihre Bezeichnungen klar sein. Die ABC-Verse, auch Fibelverse genannt, sind aus dem Leseunterricht heraus entstanden. Die Wetterregeln gehören zum alten Spruchgut des Volkes. Unsere Stammbuchverse sind mit Ausnahme der beiden ersten parodistisch. Manche der Grabschriften und Marterln, die fast alle echt sind, könnten als unfreiwilliger Humor anzusehen sein. Die Volks- und Kinderreime geben nur einen ganz kleinen Ausschnitt aus diesem großen Gebiete, das niemandem ganz fremd sein wird. Den Abschluß bilden sangbare Kurzstropher. In ihrem Mittelpunkt steht das Schnaderhüpferl, das, vor 1700 im bayerisch-österreichischen Sprachgebiet entstanden, von Haus aus Einleitung zu einem Tanz gewesen ist (Schnitterhüpfl) und sich erst ganz allmählich vom Tanze losgelöst hat. Im weiteren Sinne gehören zum Schnaderhüpferl die verschiedensten sangbaren Einstropher von drei bis sechs Zeilen, deren Bezeichnung mannigfaltig ist: Rundas, Lumpe- oder Schelmeliedle, Schwatzliedle, Schlumper- oder Schamperlieder. Unsere ganz knappen Proben solcher Kurzstropher wollen nicht mehr als Andeutung sein. Gerade im Bereiche des Schnaderhüpferls im weiteren Sinne läßt sich altes echtes Liedgut nur sehr schwer von gesunkenem Kulturgut oder gelungenen Imitationen trennen. »Des Knaben Wunderhorn« (1806–1808) von Achim von Arnim und Clemens Brentano hat das Schnaderhüpferl salonfähig gemacht. Unerreichter Meister der Schnaderhüpferl-Kunstdichtung bleibt der Altmeister der bayerischen Mundartdichtung, Franz von Kobell.

Im Ameisenhaufen wimmelt es,
Der Aff' frißt nie Verschimmeltes.

Die Ceder ist ein hoher Baum,
Oft schmeckt man die Citrone kaum.

Der Esel ist ein dummes Tier,
Der Elefant kann nichts dafür.

Die Gems' im Freien übernachtet,
Martini man die Gänse schlachtet.

Johanniswürmchen freut uns sehr,
Der Jaguar weit weniger.

Der Papagei hat keine Ohren,
Der Pudel ist meist halb geschoren.

Der Rehbock scheut den Büchsenknall,
Die Ratt' gedeihet überall.

Die Turteltaube Eier legt,
Der Tapir nachts zu schlafen pflegt.

Die Zwiebel ist der Juden Speise,
Das Zebra trifft man stellenweise.

Wilhelm Busch.

Zum Reimen ist mein Lied verpflicht,
Gedanken such bei Leibe nicht.

Neues Leipziger Allerley aufs Jahr 1755, Halle u. Leipzig 1756.

Zum Beten ist der Mönch verpflicht,
Mit Messern stich bei Leibe nicht.

Spiritus Asper, Nachtgedanke über das ABC-Buch, Leipzig 1809.

··· 44 Der Vogelsteller früh aufsteht,
Er fragt nicht, ob die Uhr recht geht.

Spiritus Asper, Nachtgedanke über das ABC-Buch, Leipzig 1809.

WETTERREGELN*

*»Wenn der Hahn kräht auf dem Mist,
Ändert sich 's Wetter oder es bleibt wie's ist.«*

Januar
Ist's in der Neujahrsnacht finster und still,
Fehlt es am Geld oder am guten Will'.

M. Lang, »Flieg. Blätter«, Bd. 46, Nr. 1121 ff.

Februar
Sonnt sich der Dachs in der Lichtmeß-Woch',
Wird ihm warm oder es friert ihn noch.

M. Lang, ebenda.

März
Ist der März naß,
Füllt er dem Bauern das Regenfaß.

M. Lang, ebenda.

April
Im ganzen April
Kann's wettern, wie's will.

M. Lang, ebenda.

Mai
Donnert's im Mai,
Ist der April vorbei.

M. Lang, ebenda.

Juni
Juni kalt und sonnenarm,
Macht den Bauern nicht sonderlich warm.

M. Lang, ebenda.

Juli
Juli trocken und heiß,
Klebt dem Bauern die Hose am Steiß.

Wilhelm Busch.

August
Herrscht im August eine Bärenhitze,
Vertrocknet manchmal die letzte Pfütze.

»Jugend«, 1908, Nr. 39.

September
Ist im September der Krebs nimmer gut,
Man keinen zu essen besser tut.

M. Lang, »Flieg. Blätter«, Bd. 46, Nr. 1121 ff.

Oktober
Schaut im Oktober die Maus aus dem Loch,
Hat sie schon g'fressen oder 's hungert sie noch.

M. Lang, ebenda.

November
Guckt an Martini die Sonne hervor,
Schwitzt die Gans im Ofenrohr.

M. Lang, ebenda.

Dezember
Dezemberwind
Macht die Nasen rot, die es nicht schon sind.

Wilhelm Busch.

STAMMBUCH-VERSE*

Habe nur deine Lust – mein Freund, an seltnen Gaben
An eines Mädchens Brust – kannst du dich schwerlich laben.
Der hat sich wohl gesellt – wer Kunst und Weisheit liebt
Der sich zu Mädchen hält – der ist nur stets betrübt.
Das ist vortrefflich schön – bei seinen Büchern sitzen
Den Jungfern nachzusehn – wird dir sehr wenig nützen.
Drum rat ich dir allein – die Künste fortzutreiben
Bei Schönen nur zu sein – das, rat ich dir, laß bleiben.

Heidelberger Stammbuchblatt, 1817, das, jede Vershälfte für sich von oben nach unten gelesen, entgegengesetzte Ratschläge gibt.

Dir wünsch ich den Teufel – weit hinter den Rücken,
Dich treffe der Blitz – von den lieblichsten Blicken,
Der Donner zerschlage – der Mißgunst die Beine,
Daß dich – nur die Sonne der Wohlfahrt bescheine.

Jenaer Stammbuchblatt 1822.

Lebe glücklich, lebe froh
Wie der Mops im Paletot!
Lebe glücklich, lebe froh,
Wie die Maus im Haberstroh.

Mündlich.

Lebe glücklich, lebe froh.
Wie der König Salomo,
Der auf seinem Throne saß
Und verfaulte Äpfel fraß.

Mündlich.

Dem Ochsen gibt das Wasser Kraft,
Dem Menschen Bier und Rebensaft:
Drum, Bruder, saufet Bier und Wein,
Wer, Teufel, will ein Rindvieh sein?

*Stammbuch 1760.**

Es führt ein Mann im Syrerland
Ein Kamel am Halfterband.
O möcht' ein Mann, doch kein Barbar,
Auch dich einst führen zum Altar!

»Flieg. Blätter«, Bd. 83, Nr. 2108.

Leb' immer ohne Sorgen
Und meistens schön und rein,
So wie ein Frühlingsmorgen
Im Abendsonnenschein.

»Flieg. Blätter«, Bd. 83, Nr. 2102.

Sollst du einst in fremden Landen
Einen schwarzen Mohren sehn,
O, so denk' an mich zurücke,
Denn hier war es auch sehr schön!

»Flieg. Blätter«, Bd. 56, Nr. 1396.

Lebe, daß de, wie de, was de, wo de bist,
Eenstens, wann de, wie de, was de weeßt,
Nötig hast, zu wissen, wie de, was de, wo de warst,
Wissen wirst, wo, was und wie de bist gewesen.

Illustrirter Berliner Vocativus, von F. E. Moll u. a., Berlin 1857.

Die Harmonie
Verkläre deines Daseins Lust!
Der Harm – o nie
Mög' wohnen er in deiner Brust.

Ebenda.

Dein gedenk' ich, still erfreut,
Selbsten in der Einsamkeit –
Ja, im dicksten Publikum
Schwebt mein Geist um dich herum.

Wilhelm Busch.

··· 48 Die Liebe is en Feuerzeug,
Das Herz, des is der Zunder,
Un fällt een kleenes Fünksken rein,
So brennt der janze Plunder!

Adolf Glaßbrenner. *

GRABSCHRIFTEN, MARTERLN*

Hier liegt der alte Abentau,
Er starb an einer jungen Frau.

Nach Dreselly. *

Hier liegt der Martin Krug,
Der Kinder, Weib und Orgel schlug.

Wiesing, Tirol.

Hier hinter diesen Friedhofsgittern,
Da ruht ein morsches Haus,
Das trank gar manchen bittern
Kelch des Leidens aus.

Bei Oedenburg.

Hier ruht das junge Öchselein,
Des Schreiners Ochsen Söhnelein,
Der liebe Gott hat nicht gewollt,
Daß es ein Ochse werden sollt.

Eschlkam im Bayerischen Wald.

Hier liegt der Amtmann Isengrimm
Er wog fünfhundert Pfund.
Sonst weiß man nichts von ihm.

L. A. Haßler, Der Wandler unter Gräbern, Freyburg 1817.

Hier liegt Hans Gottlieb Lamm,
Er starb durch'n Sturz vom Damm,
Eigentlich hieß er Leim,
Das paßt bar nicht in'n Reim.

Rorschach, auch a. a. Orten.

Hier liegt Herr Bartholomäus Mayer,
In seinem Leben war er Bräuer;
Gott nahm sein Leben, er schuf es,
Er starb als Opfer seines Berufes.

München.

Hier liegt Johannes Weindl,
Er lebte wie ein Schweindl,
Gesoffen wie eine Kuh,
Der Herr geb' ihm die ew'ge Ruh.

Laeberweinting, bei Geiselhöring, Bayern?

Hier ruht Franz Josef Matt,
Der sich zu Tod gesoffen hat,
Gott gebe ihm die ewge Ruh'
Und ein Glasl Schnaps dazu.

Nach Dreselly.

Erst hab ich g'sungen weit und breit:
»Zillertal, du bist mei Freid«,
Dann tat ich einen Stolperer
Und fiel herab vom Olperer.
Jetzt sing ich in der Englein Chor.
Bahnbeamter Thomas Moor.

Nach Rudolf Greinz.

Hier ruht mein selig Eheweib
In dieser Grabeshöhle.
Zuweilen waren wir ein Leib
Doch niemals eine Seele.

L. F. G. von Göckingk, Gedichte, Neue Ausg., Tl. 3, Frankfurt a. M. 1821.

Mein Kind, das war ein Rosenknopf,
Wollt eine Rose werden,
Es kam der Tod und roch daran;
Da war's nicht mehr auf Erden.

*Nach H. Schwedt.**

Hier liegt der Herr Melcher,
Pfarrer ist gewesen welcher.

*Nach H. Schwedt.**

Hier unter diesem Leichenstein
Ruht eine Jungfrau: Rosa Klein.
Sie suchte lang vergebens einen Mann,
Zuletzt nahm sie der Totengräber an.

*Nach H. Schwedt.**

Der gut und schlecht hat eingebunden,
Hat seinen Meister jetzt gefunden,
Er liegt im Grabe jetzt broschiert,
Bis Gott ihn selbst einst binden wird.

Oberpfalz?

Hier unter diesem Leichenstein,
Ging dieser Mann zur Prüfung ein.
O lieber Gott, nimm ihn beim Ohr,
Wirf ihm dein' Gnadenknochen vor,
Und zieh' den Sündenlümmel
In deinen Gnadenhimmel. Amen.

*Früher in Ulm?**

Hier liegt die alte Anna,
Welche die Küchl verbrannt in der Pfanna,
Sauft sich alle Tag voll in Branntwein!
Der Henker mag bei einem solchen Weib sein.

*Abraham a Santa Clara.**

Gar kurz ist's bis zur Ewigkeit.
Das merkt' auch Fuhrmann Hebestreit.
Um viere fuhr er fort,
Um fünfe war er dort.

Mündlich.

Einst führte er die Jugend
Zu Gottesfurcht und Tugend,
Versohlte auch den Hintern
Den ungezognen Kindern
Und zog daraus mit Not
Sein kärglich Stückchen Brot.

Westfalen. *

Hier mischen sich, wie ein jeglicher schon gemerkt haben wird, Wahrheit und Dichtung, Absicht und unfreiwilliger Humor. Ganz bestimmt aber Parodie sind die folgenden drei; sie stammen nämlich von Klabund.*

DIE WITTIB*

Hier ruht die Wittib Monika Tupfer,
Sie buk vortreffliche Gugelhupfer.
Eines Tages schob sie zu tief in den Ofen die Wacken,
Da hat der Herrgott sie selbst gebacken.

DAS EHEPAAR

Hier ruht Frau Brauereibesitzersgattin Mayer,
Sie starb kurz nach der silbernen Hochzeitsfeier.
25 Jahre lebten sie in ehelichem Frieden,
Da gab er ihr eine Watschen – und sie ist verschieden.

··· 52 Unter diesem Stein mußte man den Gatten
Der Frau Brauereibesitzersgattin Mayer bestatten.
Er hatte ein zu empfindliches Gewissen,
Jene Watschen hat auch ihn selbstmörderisch in den Tod gerissen.

VOLKS- UND KINDERREIME*

Pietsch und Lehmann ging'n 'n Laden:
»For en Dreier Käsemaden.«
»Käsemaden ham mer nich.«
Pietsch und Lehmann drückten sich.

Mündlich. *

Eine kleine Dickmadam
Reiste in der Eisenbahn;
Eisenbahn krachte,
Dickmadam lachte,
Lachte, bis der Schutzmann kam
Und sie mit zur Wache nahm.
Abends kam ihr Mann nach Haus,
Klopfte ihr die Hosen aus.

Mündlich. *

Ick sitze hier und esse Klops,
Uff eenmal kloppt's.
Ick kieke, staune, wundre mir,
Uff eemal jeht se uff, die Tier.
Nanu, denk ick, ich denk, nanu,
Jetzt isse uff, erscht war se zu.
Ick jehe raus und blicke,
Und wer steht draußen? – Icke!

Mündlich.

Guten Daach, ich komm' von der Pietät
Und bring e Brät.
Die andern Bräter
Bring' die andern Pietäter.
Da sprach der Tote:
»Leckt mich am Arsch,
Ich will'n ganzen Sarsch!«

Volksmund, Sachsen.

Im Walde in kühlem Schatten
Lag ich auf grünen Matten,
Da kamen zwei ganz große Ratten,
Die zerfraßen mir meine schönen Krawatten
Nu mecht' ich bloß wissen, was se dadervon hatten.

Volksmund. *

Jesus sprach zu den Ephesern:
Nehmt mir nicht zu große Kleser,
Sintemal und allzuweil
Es dem Herren ist ein Greuel.

Volksmund.

Jesus sprach zu seinen Jüngern
Wer kein' Löffel hat, ißt mit 'n Fingern.

Volksmund.

··· 54 Auf dem Berge Sinai
Wohnt der Schneider Kikriki,
Knöppt'r seine Hosen auf,
Huppt ein großer Floh heraus.
Seine Frau, die alte Lerche,
Ließ e Förzchen in der Kerche,
Auf der großen, langen Bank,
War e großer Forzgestank.
Kam der Pastor hergesprungen:
»Frau, Sie hab'n falsch gesungen.«
Und der Kutscher auf dem Bock
Schiß vor Angst gleich in den Rock.

Kindermund. *

Uff'n Dohmasser Därmchen
Da sitzt e Wärmchen
Mit'n Schärmchen in'n Ärmchen.
Da kam e Stärmchen
Und wehte dem Wärmchen
Sei Schärmchen aus'n Ärmchen.
Da stand nu das arme Wärmchen
Ohne Schärmchen in Ärmchen
Uff'n Dohmasser Därmchen.
Da kam noch e Stärmchen
Und schmiß ooch's Wärmchen
Von'n Dohmasser Därmchen.

Volksmund, Sachsen. *

An der Saale hellem Strande
Saß der Frosch mit seiner Tante,
Und der Frosch fing an zu schuppen,
Und die Tante mußte huppen
In die helle Saale 'nein.

Volksmund, Sachsen. *

Ich wollt, ich wär' ein Elefant,
Wie wollt' ich jubeln laut.
Es wär' mir nicht ums Elfenbein,
Nur um die dicke Haut.

Volksmund.

Unsre Katz' hat Kätzle ghabt,
Sieben, achte, neune,
Oins, dees hat koi Schwänzle ghabt,
Schieb mer's wieder eine.

Volksmund. *

Unsre Katz' hat Junge,
Sieben an der Zahl,
Sechs davon sind Hunde.
Das ist ein Skandal.

Doch der Kater spricht:
Die ernähr ich nicht!
Diese zu ernähren,
Ist nicht meine Pflicht.

Volksmund.

Put, put, put, mein Hühnchen,
Put, put, put, mein Hahn,
Das Hühnchen legt Eier,
Was der Hahn nicht kann.

Görlitz.

Es sprach der Löw' zum Tapir:
»Gib mir 'n Stückchen Papier.«
Da sprach der Tapir wutentbrannt:
»Wisch dir den Po mit Wüstensand,
Wir andern tun's ja auch!«

Mündlich.

De Linse, wo sin' se.
Im Dippe sie hippe,
Se koche drei Woche,
Un sin hart wie die Knoche.

Hessischer Kinderreim.

Nun danket alle Gott,
Sie Schule macht Bankrott,
Die Lehrer, die wern nausgeprügelt
Die Schule, die wird zugeriegelt.

Kindermund.

Ule, ule, ule,
Wir haben keine Schule.
Warum denn nicht, warum denn nicht?
Der Lehrer hat ein Kind gekriegt.
Wie soll es heißen? Inge.

Inge wollte Locken haben,
Muß sie erst den Vater fragen.
Vater sagte nein,
Da fing sie an zu schrein,
Mama sagte ja,
Da war die Freude da.

Kindermund.

Der Himmel ist blau,
Das Wetter ist schön,
Herr Lehrer, wir wollen spazieren gehn.

Mündlich.

Was is mich das mit dich, mein Kind?
Du scheinst mich nicht ganz wohl zu sind?
Du ißt mich nicht, du trinkst mich nicht,
Du stippst mich nich in'n Kaffee ein –
Du bist mich doch nicht krank?

*F. Rüthling.**

BALLADE UNBEKANNTEN VERFASSERS

Aus einem Kaffeehaus
Warf man ein Mädchen raus,
Sie hat 'ne Filzlaus.
Da kam ein Offizier,
Der zog den Degen raus
Und stach der Filzlaus
Die Augen aus.

Volkstümlich.

KETTENREIME*

Meine Damen und Herrn,
Äppel sinn keene Bern',
Bern' sinn keene Äppel,
De Wurscht hat zwee Zäppel,
Zwee Zäppel hat de Wurscht,
Der Bauer hat Durscht,
Durscht hat der Bauer,
Das Leben wird ihm sauer,
Sauer wird ihm das Leben,
Der Weinstock hat viel Reben,
Viel Reben hat der Weinstock,
Ein Kalb ist kein Ziegenbock,
Ein Ziegenbock ist kein Kalb,
Meine Predigt ist halb,
Halb ist meine Predigt,
Der Brotschrank ist ledig,
Ledig ist der Brotschrank,
Ein Tisch ist keine Ofenbank,
Eine Ofenbank ist kein Tisch,
Im See sind viel Fisch',
Viel Fisch' sind im See,
Der Hund hat viel Flöh',
Viel Flöh' hat der Hund,

Ein Viertel ist kein Pfund,
Ein Pfund ist kein Viertel,
Bauernmädchen tragen schöne rote Gürtel,
Schöne rote Gürtel tragen Bauernmädchen,
Eine Maus ist kein Rotkehlchen,
Ein Rotkehlchen ist keine Maus,
Meine Predigt ist aus.

Kindermund. *

Es war einmal ein Mann,
Der hatte einen Schwamm.
Der Schwamm war ihm zu naß,
Da ging er auf die Gass'.
Die Gass' war ihm zu kalt,
Da ging er in den Wald.
Der Wald war ihm zu grün,
Da ging er nach Berlin.
Berlin war ihm zu groß,
Da wurd' er ein Franzos'.
Franzos' wollt' er nicht sein,
Da ging er wieder heim
Zu seiner Frau Elise,
Die kocht ihm grün Gemüse.
Da mußt' er dreimal niese:
Hazzi! Hazzi! Hazzi!

Kindermund. *

SCHNADERHÜPFERL*

Dreizehn Polizeimann
Und vierzehn Schandarm:
Grad sieb'nazwanz'g Spitzbuam,
Wann 's z'sammenkettelt war'n.

Österreich. *

Die Vögel hab'n Kröpferln,
Sie singen damit,
Da Bauer hat an Kropf,
Aber singen kann er nit.

Österreich. *

Mein Schwesta spielt Zitha,
Mein Bruder Klarinett,
Mein Vata prügelt d' Mutta,
Und dös gibt a Quartett.

Salzburg. *

Für d' Flöh gibt's a Pulva,
Für d' Schuach gibt's a Wix,
Für 'n Durst gibt's a Wassa,
Für dö Dummheit gibt's nix.

Niederösterreich. *

Da Pfarra macht d' Predig,
Da Metzga dö Wurst,
Da Glaub'n macht selig
Und da Haring an Durst.

Salzburg. *

Es ist schon mei Lebta
So dumm auf da Welt,
Dieselln, die stoareich san,
die ham 's mehra Geld.

»Flieg. Blätter«, Bd. 77, Nr. 1932.

Da unten im Tale,
Da ist ein Tunnel,
Da drinnen is' dunkel,
Wenn mer 'rauskommt, is 's hell.

Volksmund. *

Grün ist die Hoffnung
Und grün der Salat,
Und grün ist der Jüngling,
Der keinen Schnurrbart hat.

Volksmund. *

MEIN NAM IS GOTTLIEB KÄSEBIER

Mer hamm enne Katze, die hat keene Ohren,
Die hat sich im Winter die Pfoten erfroren;
Das Fell verliert sie schon im Gehn,
Mer möchten sie in Kattun einnähn.

Volksmund. *

Mer hamm ooch noch en Kanapee
Der Überzug is ganz entzwee,
Und das Gestelle is zerbrochen,
Da kenn' mer dervon Kaffee kochen.

Volksmund. *

Mer hamm ooch en Aquarium,
Da schwimmt 'n toter Goldfisch rum,
Den hatten se schwarzrotgold lackiert,
Da ist das arme Vieh krepiert.

Volksmund. *

VERSCHIEDENE KURZSTROPHER

In Fürth oder wo
Hat der Wirt oder wer
Sein Weib oder wen
Derschlagen oder was.

»Flieg. Blätter«, Bd. 57, Nr. 1668.

Um mei' Kaffe 'rum schwärmen
De Bienen in Masse,
Se wer'n angelockt
Vom Blimchen in der Dasse.

v. Planitz, »Flieg. Blätter«, Bd. 74, Nr. 1865.

Himmelblau und rosenrot
Sind die schönsten Farben.
Öfters ist man plötzlich tot:
Solche Leute starben.

»Flieg. Blätter«, Bd. 48, Nr. 1203.

ZWISCHENRAUM-IDYLLE

Ach, wie schön ist es am Abend,
Es sich ausgeregnet habend.
Mitten hin durch die Natur
Zieht sich eine Pappelschnur.
Rechts am Ende, links am Ende
Lauter schöne Gegenstände.
In der Mitte fließt ein Bach –
Ach!

*Mündlich.**

Veilchen stellt ein braves Kind
In ein Glas, wenn es sie find.
Findet sie jedoch die Kuh,
Frißt sie sie und schmatzt dazu.

*Bert Brecht.**

TROST FÜR GLATZE

Wo Geisteskräfte sich entfalten,
da können Haare sich nicht halten.

Mündlich.

Ward ich zum Flug erzeugt?
Zum Fluche oder Pflug?
Der Frosch – so hoch er sprang –
Sprang doch nicht hoch genug.

Otto Erich Hartleben. *

LEBERREIME

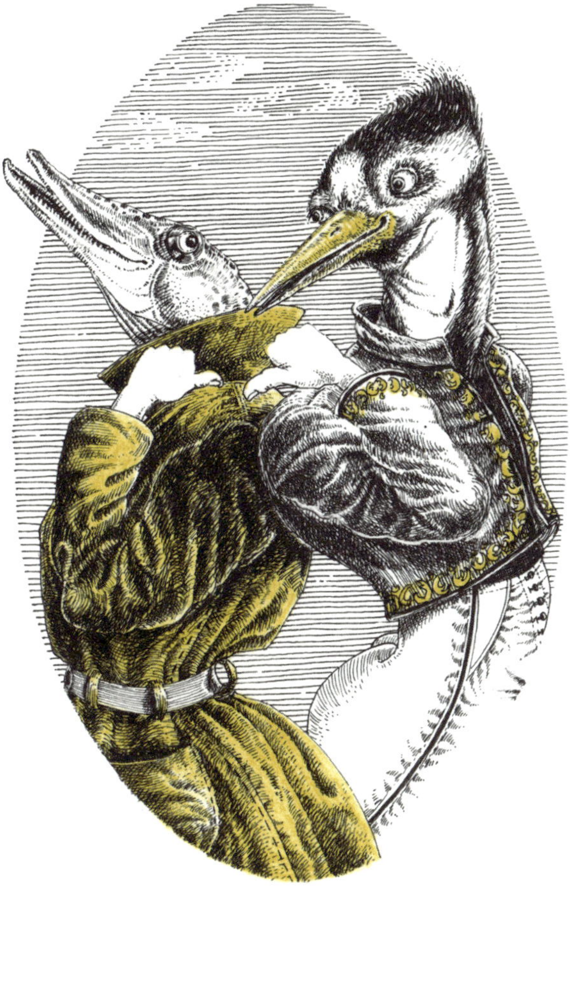

··· 64 Der Leberreim lebt heute nicht mehr, er ist aber sehr alt: sein Stammbaum geht bis ins 16. Jahrhundert zurück. Im 17. Jahrhundert erlebte er seine Blütezeit, gegen Ende des 18. ist sein Ruf schon nicht mehr der beste, indem er da von den guten Schriftstellern gleichbedeutend mit »unbedeutender, schlechter Reim« gesetzt wird. In der Literatur des 19. und 20. Jahrhunderts flackert er ohne rechten Zusammenhang nur hier und da wieder auf. Auf dem Lande hat er freilich noch das ganze 19. Jahrhundert hindurch weitergelebt; vor allem bei norddeutschen Bauernhochzeiten ist er in meist derber Form bis in die neuere Zeit sehr beliebt gewesen.

Seine Entstehung verdankt der Leberreim zum guten Teil der humanistischen Vorliebe für Sinnsprüche. Verwandt mit den improvisierten Trinksprüchen, gehört er zur Gattung der Gesellschaftsdichtung. In seiner Form ist er ganz frei, charakteristisch für ihn ist nur der Einsatz: »Die Leber ist vom Hecht und nicht von … « Inhaltlich ist er ebenfalls frei, enthält also keineswegs nur – wie etwa die späteren Klapphornverse – Scherze und Unsinn, sondern auch auferbauliche Lehren, Gebete, Wünsche und auch Rätsel. Warum aber *Leber*-Reim? Zugrunde liegt zweifellos die antike Auffassung von der Leber als Bereitungsstätte des Blutes und damit als Sitz der Affekte (Liebe, Unmut, Zorn). Läuft nicht heute noch so manchem manchmal »eine Laus über die Leber«, und ist es nicht eine Wohltat, alles, was das Gemüt bedrückt, »frei von der Leber weg zu sprechen«?

Es sind im 17. Jahrhundert mehrere Leberreim-Sammlungen erschienen, die älteste sind die »Rhythmi mensales« von Johannes Junior, 1601. Um die Wende des 19. Jahrhunderts hat der Leberreim in der »Jugend« fröhliche Urständ gefeiert, inhaltlich teils mit blühendem Unsinn, teils mit politischer, antiklerikaler oder literarischer Polemik geladen. Edgar Steiger beendete 1901 die Leberreim-Einlagen der »Jugend« und damit bis auf weiteres die Leberreim-Dichtung überhaupt mit folgendem Gebilde:

Die Leber ist von *keinem* Hecht,
Sie ist von einem *Staren*,
Leg' noch ein bißchen *Berg* dazu,
So kannst du Dampfschiff fahren!

ALTE LEBERREIME

Die Leber ist vom Hecht und nicht von einem Rochen:
Das Glück gibt manchem Fleisch / dem andern leere
Knochen.
Doch werden beyde satt / und was noch ärger ist /
Ist / der es nicht verdient / daß der das beste frißt.

*G. Grefflinger, 1675.**

Die Leber ist vom Schincken,
An der Hunde hincken
An der Huren wincken
An der Frawen weinen
An der Gelehrten meynen
Und der Krämer schweren
Soll sich niemand kehren.

*Jocoseria mensalia, 1649.**

Diß Leberlein ist wolbereyt:
Wer von Leipzig kömpt ohne Weib
Von Wittenberg mit gsunden Leib
Von Helmstadt ohn geschlagen
Weiß wol von Glück zu sagen.

*Jocoseria mensalia, 1649**

Die Leber ist von einem Hecht
Und nicht von einem Bär,
Den nenn' ich einen Grobian,
Der stets mich nennt nur Er!

*Christian Fürchtegott Gellert.**

NEUERE LEBERREIME

Die Leber ist vom Hecht und nicht von einem Spechte,
Rechts liegt der linke Daumen, dagegen links der rechte.

*Karl Schimper, Gedichte, Erlangen 1840.**

Die Leber ist von einem Hecht und nicht von einem Stier,
Geliebte, wüßt' ich nur, wie ich daran mit – Dir?

Damen-Conversations-Lexicon. Adorf 1846.

Die Leber ist von einem Hecht und nicht von einem Kauze,
Wer keinen Schnabel hat, dem gab Gott eine Schnauze.

Urväter-Hausrath in Spruch u. Lehre, Berlin 1885.

Die Leber ist vom Hecht und nicht von einem Biber,
Dem Einen ist sein Weib, dem Andern Andre lieber.

Urväter-Hausrath in Spruch u. Lehre, Berlin 1885.

Die Leber ist von einem Hecht und nicht von einer Schleie,
Der Fisch will trinken, gebt ihm 'was, daß er vor Durst nicht schreie.

Theodor Fontane, Wanderungen durch die Mark, T. 4.

Die Leber ist von einem Hecht
Und nicht von einem Dachse;
Wer Dresden seine Heimat nennt,
Ist sicherlich »ä Sachse«.

»Jugend«, 1901.

KLAPPHORN-VERSE

··· 68 In der Nummer 1720 vom 14. Juli 1878 erschien in den »Fliegenden Blättern« die auf der nächsten Seite fettgedruckte »Idylle«. Die Nummer 1724 brachte daraufhin eine Art Erwiderung, in der mit verstelltem Ernst gesagt wird: »Daß es kein Kinderinstrument, weiß Jeder, der das Klapphorn kennt; drum soll's ein Knabe unterlassen, der's noch nicht ordentlich kann blasen.« In diesem Zusammenhang fällt zum erstenmal das Wort »Klapphorn-Angelegenheit«. Wirklich wächst sich der kleine scherzhafte Vers zu einer Angelegenheit aus. Mehrere Klapphornverse erscheinen nach und nach in den »Fliegenden«, hunderte werden sonstwo gedruckt. Das Dichten à la Klapphorn ist zu einer Mode, zu einer Krankheit ausgeartet, die Jahrzehnte lang anhält.

Alle großen Nachschlagewerke widmen daher heute noch dem Begriff des Klapphornverses einige Zeilen. Als Verfasser des Urverses wurden früher genannt C. Wagner, seit 1902 der Göttinger Notar Friedrich Daniel. Die Autorschaft Daniels behauptet schon 1884 der Hannoversche Kurier. Über Daniel hat Otto Deneke alles Wissenswerte mitgeteilt (in »Alt-Göttingen«, Beilage der »Göttinger Zeitung« 5. Januar 1935). Daraus erhellt, daß dieser Gelegenheitsdichter nicht mit Humor, sondern nur mit unfreiwilligem Humor gesegnet war. Daß er also den Urklapphornvers an die »Fliegenden« eingesandt habe, ist undenkbar. Denkbar wäre nur, daß Daniel den Vers mit lyrischem Ernst angefertigt – nach dem Hannoverschen Kurier 1884 als Anfang eines »ländlichen Gedichtes« –, daß aber ein lieber Zeitgenosse diesen Vers ob seiner komischen Wirkung an die »Fliegenden Blätter« eingesandt hätte. Woher auch der Vers gekommen sein mag, in der Redaktion der »Fliegenden« wurde er jedenfalls mit Humor verstanden, so gut verstanden, daß Lothar Meggendorfer selbst eine Zeichnung dazu lieferte. Deshalb darf man wohl sagen: der eigentliche Urheber der »Klapphornangelegenheit« ist die Schriftleitung der »Fliegenden Blätter« selbst.

Heimeran

KLAPPHORN-VERSE

Zwei Knaben gingen durch das Korn,
Der andere blies das Klappenhorn.
Er konnt' es zwar nicht ordentlich blasen,
Doch blies er's wenigstens einigermaßen.

Zwei Knaben gingen durch das Korn,
Sie waren beide Feger des Schorn.
Der eine konnte gar nicht fegen,
Der andre fog brillant dagegen.

Zwei Knaben gingen durch das Korn,
Der eine hint', der andre vorn,
Doch es ging keiner in der Mitt,
Man sieht daraus, es fehlt der Dritt.

Zwei Knaben gingen durch das Korn,
Sie gingen alle beide vorn,
Denn hinten konnte keiner gehn,
Da hinten war die Luft nicht schön.

Zwei Knaben gingen durch das Korn,
Der zweite hat seinen Hut verlorn,
Der erste würd ihn finden,
Ging er statt vorne hinten.

Zwi Knaben gingen durch das Korn,
Dem einen war die Nas' erfrorn.
Wie kam denn das im Sommer?
Das war ja grad der Kommer!

Zwei Knaben gingen durch das Korn,
Die sind noch immer Assessorn,
Amtsrichter wären sie schon heute,
Doch sind zu viele Vorderleute.

··· 70

Zwei Knaben gingen durch die Nacht,
Der eine leis, der andre sacht.
Man konnte sie weder sehen noch hören –
Wenn sie's nun gra nicht gewesen wären?

Zwo Knaben gingen an den Strand;
Der andre eine Muschel fand.
Der eene, der fand keene:
Das macht zusammen eene.

Zwee Knaben loofen im Galobb,
Dem eenen reißt ä' Hosenknobb;
Der andre schreit: »Herjehses!«
Wo's Knebbchen liegt – wer weeß es?

Zwei Knaben stiegen auf den Turm,
Der eine hat den Bandelwurm.
Der andre keck und munter,
Ließ sich daran herunter.

Zwei Knaben steigen auf den Gletscher,
Sie wurden matsch und immer mätscher.
Da sprach der Mätschere zum Matschen:
»Jetzt wolln wir wieder abihatschen.«

Zwei Knaben zogen an den Nil,
Den andren fraß ein Krokodil.
Der eine starb am Fieber,
Drum geh nicht hin, mein Lieber!

Zwei Knaben machten einen Bummel
Und fanden einen Zigarrenstummel.
Sie rauchten beide gravitätisch,
Das weitere ist unästhetisch.

Zwei Knaben machten sich den Jokus
Und tranken Most im Keller.

Da mußten beide auf den Lokus,
Jedoch der Most war schneller.

Zwei Knaben fanden eine Zwiebel,
Die roch ganz unbeschreiblich übel,
Ganz unbeschreiblich übel roch sie,
Die Knaben aßen aber doch sie.

Zwei Knaben rauchten lange Pfeifen,
Sie konnten beide nicht begreifen,
Daß aus so langen Pfeifen man
Auch kurze Züge machen kann.

Zwei Knaben wollten einem Ponny
Den Schwanz ausreißen, aber, honny
Soit qui mal y pense!
Das Tier, das hatte keinen Schwanz.

Zwei Knaben an dem Waldessaum,
Die maßen sich im Purzelbaum;
Dem einen wollt' es nimmer gelingen,
Den Baum des Purzels fertig zu bringen.

Zwei Knaben suchten emsiglich
Am Baume nach 'nem Appel.
Sie fanden keinen Appel nich,
Der Baum, das war 'ne Pappel.

(Wie gut ist's, daß die beiden Knaben
Den Appel nicht gefunden haben.
Das Krabbeln tät kein End sonst nehmen
Nach Äppeln auf den Pappelbeemen.)

Zwei Knaben rieten kreuz und quer,
Wo kommen Klapphornverse her?
Da sprach der andre »Horch,
Die bringt der Klapphornstorch.«

VERSE À LA KLAPPHORN

Zwei Mädchen gingen in den Wald,
Die eine jung, die and're alt;
Wer schöner von den beiden,
Ist schwierig zu entscheiden.

»Flieg. Blätter«, Bd. 79, Nr, 2005.

Zwei Fräuleins gingen durch das Korn,
Sie hatten beide den Weg verlor'n.
Zwei Leutnants gingen hinten,
Wer kann dabei was finden?

»Flieg. Blätter«, Bd. 79, Nr. 1983.

Zwei Mädchen studierten die Medizin,
Die eine fand sehr bald einen »ihn«.
Sie hat sich verheiratet leider.
Die andre studiert noch weiter.

»Jugend«, 1903, Nr. 49.

Zwei Schwalben kamen an mit Macht,
Weil eine keinen Sommer macht.
Hoch in der Luft sie kreisten,
Sie konnten sich das leisten.

Goldner Humor, Berlin o. J.

Zwee Buwe gingen uf der Stroß'
Und stritten, wer hätt' die scheenste Hos'.
Der Gröschte haut solang' de Kleenschte,
Bis der dann sagt: »Du hoscht die scheenschte.«

»Flieg. Blätter«, Bd. 81, Nr. 2049.

KLAPPHORN-BALLADE

Zwei Ritter ritten durch das Korn;
Der eine zog seine Mähre von vorn,
Der andere schob dahinter –
Es ging halt nicht geschwinder.

Zwei Dächer sahen sie winken von fern:
Das Haus des Wirts und das Schloß des Herrn;
Umsonst soupiert man im Schlosse –
Drum lenkten sie dahin die Rosse.

Zwei Türmer sahen die Ritter zur Stund,
Sie setzten beide das Horn an den Mund;
Der eine tutete scheußlich –
Der andere schwieg wohlweislich.

Zwei Köpfe fuhren an's Fenster sodann;
Der eine gehörte dem Schloßherrn an,
Beim andern war möglich der Zweifel,
Ob Schwiegermama oder Teufel.

Zwei Knappenhände öffnen das Tor,
Doch nur ein Knappe tritt hervor;
Warum? – Weil nur einen Knappen
Der Schloßherr konnte berappen.

Zwei Ritter traten im Saale ein,
Da saßen des Schloßherrn Töchterlein;
Die eine war Dreißig vorüber,
Die andere – Schwamm drüber! –

Zwei Ritter machten am Absatz kehrt,
Ein jeder holte im Stalle sein Pferd,
Sie sprengten davon, daß es Funken stob,
Der andre zog, der ein schob.

»Flieg. Blätter«, Bd. 85, Nr. 2138.

KLAPPHORN-NACHLESE

Zwei Knaben baden sich im Fluß,
Weil jeder einmal baden muß.
Der eine ist dabei ersoffen,
Vom andern wollen wir's nicht hoffen.

Mündlich.

Zwei Knaben stiegen auf eine Leiter.
Der Obere war etwas gescheiter.
Der Untere war etwas dumm.
Auf einmal fiel die Leiter um.

Bert Brecht. *

GASSENHAUER UND SCHLAGER

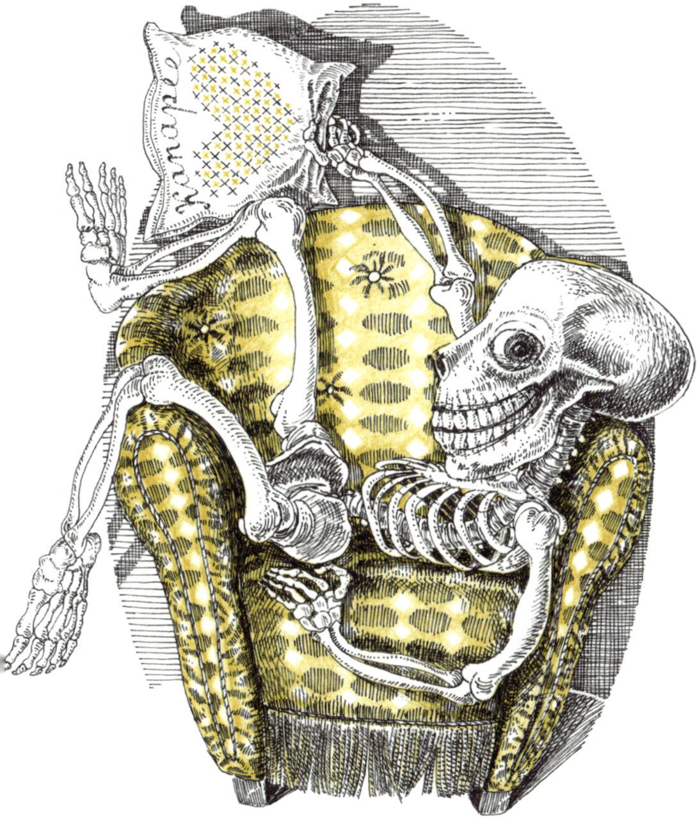

··· 76 Ein Gassenhauer war zunächst einmal, im 16. Jahrhundert, ein »unnütz auf der Straße herumstreifender Kerl« (hauen = gehen, man denke an: hau hin!). Das Wort wurde dann übertragen auf die Tänze solcher Gassengänger, dann auf ihre auf der Gasse gesungenen Lieder. Heute bedeutet Gassenhauer – wir sagen dafür gewöhnlich Schlager – soviel wie schlechtes, kunstloses, auch unanständiges Lied. Diesen heute stets geringschätzigen Klang hat der Gassenhauer nicht immer gehabt. Im 17. und 18. Jahrhundert, als er besonders von Studenten gepflegt wurde, wurde das Wort auch zuweilen ohne ausgesprochenen Tadel verwendet.
Wir versuchen nun im folgenden, einen kleinen Ausschnitt aus dem Gassenhauer bis zum Anfang des 20. Jahrhunderts zu geben, wobei wiederum den blödsinnigen Texten der Vorzug gegeben wurde. In der Wissenschaft hat man sich bis heute damit begnügt, den Gassenhauer als wertlos oder als unmoralisch mit Verachtung zu strafen. Unter den wenigen nützlichen Arbeiten über den Gassenhauer – die meisten machen nur in sittlicher Entrüstung – sind ein paar Aufsätze von Friedrich Magnus Böhme unter dem Titel »Die Gassenhauer seit 100 Jahren« (Centralblatt für Instrumentalmusik, Solo- und Chorgesang, Jg. 11, 1896) rühmlichst hervorzuheben. Die dort gegebenen wertvollen Hinweise, insbesondere über die zeitliche Festlegung der älteren dieser Lieder, sind uns sehr nützlich gewesen. Grundlegende Arbeiten zur Geschichte des Gassenhauers sind ferner: »Ludwig Riemann, Der Gassenhauer«. In: Das deutsche Volkslied. 4. 1902. S. 116–18, 137–139, 160–162; »Wilhelm Tappert, Gassenhauer«. In: Bühne u. Welt. 6. 1904, 2. Halbj., S. 803–812; »Lukas Richter, Parodieverfahren im Berliner Gassenlied«. In: Dt. Jahrbuch d. Musikwissenschaft. 4. 1959. S. 48–81.

DER LIEBE AUGUSTIN

O du lieber Augustin,
's Geld ist weg, 's Mädel hin!
O du lieber Augustin,
Alles ist hin.

*Dies die bekannteste Strophe. Um 1650.**

DAS KANAPEELIED

Da auf dem Kanapee, da will ich sterben,
Da will ich auch begraben sein,
Den Leib bekommen alle meine Erben,
Das Kanapee, das bleibet mein.
Die Seele schwinget sich wohl in die Höh, ja Höh,
Jedoch der Leib bleibt auf dem Kanapee.

*Der letzte von vier Versen. Um 1740.**

DER HALLESCHE STIEFELKNECHTS-GALOPP

Herr Schmidt, Herr Schmidt,
Wir haben eine Bitt':
Auf Freiersfüßen kommen wir,
Man sagt, es sind viel Töchter hier.

Ja, ja! ja, ja!
Ich bin der Herr Papa!
Ein Dutzend Mädchen hab' ich nur,
Von jedem Jahrgang eine Spur.
Herr Schmidt, Herr Schmidt,
Was kriegt denn Röschen mit?
Ein Schleier und ein Federhut,
Der steht dem Mädchen gar zu gut.

Herr Schmidt, Herr Schmidt,
Was kriegt denn Hannchen mit?
Die kriegt ein Sopha lang und breit
Für ihre große Sitzsamkeit.

*Um 1820.**

LOTT' IST TOT

Lott' ist tot, Lott' ist tot,
Jule liegt im Sterben,
Lotte hat ein grünes Kleid,
Das will Jettchen erben.

*Um 1820.**

ROBINSON, ROBINSON

Robinson, Robinson,
Fuhr in einem Luftballon,
In die Höh', in die Höh'
Mit der Jungfer Salome.
Als sie wieder 'runter kam,
War sie eine jung' Madam,
In der Höh', in der Höh',
G'schlossen war die Eh'.
Juchhe!

*Nach 1820.**

AUF EINEM OMNIBUS

Auf einem Omnibus
Saß ein Mechanikus,
Der hatte Lackstiebeln an.
Da kaum ein andrer Mann,
Der hatte welche an,
Die rochen nach Tran;
Da sagt der eine Mann:
Sie haben ja Stiebeln an,
Die riechen nach Tran!
Da sagt der andre Mann:
Wat jeht denn Sie det an?
’N jeder stinkt, so jut er kann.

*Um 1870.**

DIE PFERDEBAHN

Ach, is det jemütlich
Uff de Pferdebahn.
Det eene Pferd, det zieht nich,
Det andre, det ist lahm.
Der Kutscher kann nich kieken,
Der Konduktör nich sehn,
Und alle fünf Minuten,
Da bleibt de Karre stehn.

Um 1875.

DIE STUHL-HULDA

Ist denn kein Stuhl da, Stuhl da, Stuhl da,
Für meine Hulda, Hulda, Hulda?
Dreht euch mal alle um,
Das wär’ doch gar zu dumm,
Wär’ hier kein Stuhl da, Stuhl da, Stuhl da,
Für meine Hulda, Hulda, Hulda.

*Um 1897.**

DU BIST VERRÜCKT, MEIN KIND

Du bist verrückt, mein Kind,
Du mußt nach Berlin,
Wo die Verrückten sind,
Da gehörst du hin.

*Um 1880.**

FISCHERIN, DU KLEINE

War einst ein kleines Fischermädchen,
So lieblich und so schön,
Gar herrlich anzusehn.
Die schönste Maid im Fischerstädtchen,
Sie fuhr bei Sturmgebraus
Auf's wilde Meer hinaus.
Da tauchte auf der Nixen Schar
Und warnt das Mädchen vor Gefahr:

Fischerin, du kleine
Fahre nicht alleine,
Fahre nicht bei Sturmgebraus
Auf das wilde Meer hinaus.

*1886.**

DER MANN MIT DEM KOKS

Mutter, der Mann mit dem Koks ist da!
Sei doch man stille, det weeß ik ja!
Hast du denn Jeld? Ick hab keen Jeld!
Wer hat denn den Mann mit dem Koks bestellt?

*1884.**

DER GELIEBTE SCHWIEGERSOHN

Original

Lerche hat zwei Töchter,
'n Schwiegersohn, dcn möcht er.
Er erwählt zum Schwiegersohne
Einen Schneider, der nicht ohne.
Tritt der Schneider in das Haus,
Ruft die Schwiegermutter aus:
Siehste woll, da kimmt er,
Jroße Schritte nimmt er,
Jraue Haare hat er schon,
Der jeliebte Schwiegersohn.

*1890.**

DER VERRÜCKTE (VERSOFFNE) SCHWIEGERSOHN

Weiterbildung und klassische Form

Siehste wohl, da kimmt er,
Lange Schritte nimmt er,
Siehste wohl, da kimmt er schon,
Der verrückte (versoffne) Schwiegersohn.

*Um 1880.**

PFLAUMENWALZER

Auf dem Baume, da hängt 'ne Pflaume,
Die möcht' ich gerne hab'n;
Auf'm andern Baume hängt noch 'ne Pflaume,
Die möcht' ich auch gern hab'n.
So nimm se du se dir se,
So nimm se dir se doch.
Die eine hat 'ne Made,
Die andre hat en Loch.

*1901.**

KROKODILMARSCH

Da unten in der Elbe,
Schwimmt ein Krokodil,
Es ist genau dasselbe,
Das einst schwamm im Nil.

*Um 1890.**

DIE HOLZAUKTION

Im Grunewald, im Grunewald ist Holzauktion,
Ist Holzauktion, ist Holzauktion,
Im Grunewald, im Grunewald ist Holzauktion,
Ist Holzauktion, ist Holzauktion.
Links um die Ecke rum,
Rechts um die Ecke rum,
Überall ist große Holzauktion.
Links um die Ecke rum,
Rechts um die Ecke rum,
Überall ist große Holzauktion.

*1891.**

AUF DER GRÜNEN WIESE

Auf der grünen Wiese
Hab ich sie gefragt:
»Liebst du mir, Luise?«
»Ja« hat sie gesagt.

*Um 1895.**

OH, SUSANNA

Trink mer noch e Treppche
Aus dem kleinen Henkelteppche?
Trink mehr noch e Treppche
Aus dem kleinen Henkelteppche?
Oh, Susanna, wie ist das Leben doch so schön.
Oh, Susanna, wie ist das Leben schön!

Alle Aale ißt man,
Alle Aale ißt man,
Nur die Ideale nicht.
Oh, Susanna usw.

Alle Fische schwimmen,
Alle Fische schwimmen,
Nur der kleine Backfisch nicht.
Oh, Susanna usw.

Alle Möpse bellen,
Alle Möpse bellen,
Nur der kleine Rollmops nicht.
Oh, Susanna usw.

Alle Vögel singen,
Alle Vögel singen,
Nur der Schutzmann Vogel nicht.
Oh, Susanna usw.

*Vor 1900.**

IMMER AN DER WAND LANG

Ich hab so manche tolle Zicke
Wohl schon im Leben mitgemacht,
Am Tage hab ich meist geschlafen,
Doch in der Nacht hab ich gewacht.
In Kaffeehäusern, Tanzlokalen,
Da hatt ich meinen Zweck,
Und oftmals ruft man unter Lachen,
Von dem ist heut das Ende weg.
Doch eines hab ich mir erhalten,
Ein ausgesproch'nes Pflichtgefühl,
Drum sag ich immer gegen Morgen,
Nu mach'n Punkt, sonst wird's zuviel!

Und dann schleich ich still und leise
/: Immer an der Wand lang :/
Heimwärts von der Bummelreise
/: Immer an der Wand lang :/
Schimpft zu Haus ooch meine Olle
/: Immer an der Wand lang :/
Ja, ich bin 'ne dolle Bolle
Immer an der Wand, an der Wand entlang.

*Um 1900.**

MALE, MALE!

Male aß gern Paprika, – Male trank gern Tee,
Male war in Afrika, – Male sagt nie »nee«,
Male ging in Gummischuh'n, – Male trank gern Schnaps
Male war in Kamerun, – Male hat 'nen Klaps.
Male,Male! Lebt denn meine Male noch?
Male, Male, lebt denn Male noch? lebt denn Male noch?

*Um 1900?**

RRROLLMÄDEL

Rrrollmädel, rroll auf der Rrrollschuhbahn,
Rrrollmädel, zieh dir die Rrrollschuh an.
Rrreizendes Rrrollmädel,
Rrroll auf den Rrrollrädeln
Mit deinen Füßchen so klein,
Rrroll nur, Rrrollmädel,
Rrroll mir ins Herz hinein.

*Um 1905.**

KOMM, HILF MIR MAL DIE ROLLE DREHN,

Du bist so dick und stramm,
Genier dich nicht, und zier dich nicht,
Wir drehn das Ding zusamm'!

*1908.**

PUPPCHEN

Puppchen, du bist mein Augenstern,
Puppchen, hab dich zum Fressen gern.
Puppchen, mein süßes Puppchen –
-Nee, ohne Spaß,
Du hast sowas!

*Um 1911.**

DAS BLAUE
VOM HIMMEL
HERUNTER

Uralt und weit verbreitet ist die Neigung der Volksdichtung, die Grenzen der Vernunft zu durchbrechen und sich in einer Welt des Unmöglichen und des Widersinnigen zu tummeln. Wir nennen solche Flüge ins unbegrenzte Reich der Phantasie und der Einbildungskraft Lügenlieder und Lügenmärchen. Das ist nun eine recht unglückliche Bezeichnung für diese harmlosen Neckereien, weil wir nach heutigem Sprachgebrauch bei Lug immer gleich an Trug denken und Lügen mit Betrügen gleichsetzen. Dem ursprünglichen und eigentlichen Sinn dieser volkstümlichen Dichtung wird man aber damit nicht gerecht, denn dort steht Lügen noch ganz ohne moralischen Beigeschmack einfach für erdichten, Märchen erzählen, fabulieren. Es steckt nicht einmal immer die Absicht dahinter, die Zuhörenden aufs Glatteis zu führen und zu foppen, denn oft versichert der Erzähler solcher Geschichten selbst zu Beginn oder am Schluß, daß alles nur gelogen war. So ist im Lügenlied nichts weiter zu sehen als ein freies zweckloses Spiel der Phantasie, bei dem mit mehr oder weniger Witz die gültigen Regeln der Vernunft und Ordnung zerschlagen oder geradezu auf den Kopf gestellt werden. Nähert sich die Lügendichtung dem ihr nahestehenden Märchen, wie etwa in den Geschichten vom Schlaraffenland, so wird darüber hinaus das in der Volksdichtung der ganzen Welt so beliebte und verbreitete Wunschmotiv deutlich: die uralte Sehnsucht nach dem goldnen Zeitalter und dem Paradies.

Das älteste und bekannte deutsche Lügenlied (in lateinischer Sprache überliefert) ist der Modus florum aus dem 11. Jahrhundert. Dort wird von einem König erzählt, der seine Tochter nur dem größten Meister im Lügen zur Frau geben will und von einem Schwaben so angelogen wird, daß er sich für besiegt erklären muß. Bemerkenswert daran ist auch, daß es sich hier um einen Wettstreit handelt, wie er noch Jahrhunderte hindurch beliebt gewesen ist.

Den eigentlichen Lügenerzählungen in der Art des unsterblichen Lügenbarons Münchhausen eng verwandt sind die Lieder und Erzählungen von den unmöglichen Dingen und von der verkehrten Welt. Während bei ersteren die Erfüllung gewisser Wünsche von der Ausführung unmöglicher Dinge abhängig gemacht wird, treibt bei letzteren die Phantasie ihr Spiel damit, natürliche Dinge mutwillig umzukehren.

»GUTEN HUT, MEINE DAMEN«

Als im Jahre vierundddreißig siebzehnhundert die Donau brannte und die Bauern bellten und die Hunde Stroh herbeischleppten, um das Feuer zu löschen, da begab sich's, daß ich wandern mußte. Da kam ich an eine Kirche von Pappdeckel, darin war ein Pfarrer von grauem Löschpapier, der sprach: »Meine Tochter ist ein geschickter Zimmermann, macht Schuhe und Strümpfe aller Art, und alle Leute lassen bei ihr backen.« Als ich weiter ging, kam ich an ein Guck, da lochte ich hinein; da sah ich vier Stühle auf ihren Herrn sitzen, da tat ich meinen Tag ab und sagte: »Guten Hut, meine Damen.«

Volksmund. *

KUH

Eine Kuh, die saß im Schwalbennest
Mit sieben jungen Ziegen,
Die feierten ihr Jubelfest
Und fingen an zu fliegen,
Der Esel zog Pantoffeln an,
Ist übers Haus geflogen,
Und wenn das nicht die Wahrheit ist,
So ist es doch gelogen.

Volksmund. *

HAHN

In Regensburg haben sie einen Hahn
Der hat so schröcklich viel Schaden gethan
Er zutrat eine steinerne Brücke
Es flog eine Mücke einen Thurm entzwey
War das nicht Ungelücke?

Bergliederbüchlein, um 1700, Nr. 113. *

JUNGFERN

Ich bin in einem Lande gewesen
Da wachsen die Jungfern auf Bäumen
Da wirft man sie mit Pantoffeln herab
Die großen und die Kleinen

Bergliederbüchlein, um 1700, Nr. 235.

LÜGENSCHNADERHÜPFERL

Han Erdäpfel droschn,
Han Haslnuß g'maht,
Han's Rüh-ahrmilli g'spunna:
Han's sauba vadraht.

*H. Grasberger, Die Naturgeschichte des Schnaderhüpferls, Leipzig 1896.**

UNMÖGLICHE DINGE

Wenn ich dir soll von groben Howanstroh
Feine Seide spinnen,
So mußt du mir ein Kind gebären,
Eine Jungfrau bleiben.

Wenn ich dir soll ein Kind gebären,
Eine Jungfrau bleiben,
So mußt du mir meine Windeln waschen.
Ohne Netz' und Reiben.

Wenn ich dir soll deine Windeln waschen
Ohne Netz' und Reiben,
So mußt du mir auf einer Leiter
In den Himmel 'naufsteigen.

Wenn ich dir soll auf einer Leiter
In den Himmel 'naufsteigen,
So mußt du mir eine Wiege machen
Ohne Schnitz' und Schneiden.

Wenn ich dir soll eine Wiege machen
Ohne Schnitz' und Schneiden,
So mußt du mir auf einer Lause
Nach Preßburg reiten.

Wenn ich dir soll auf einer Lause
Nach Preßburg reiten,
So mußt du mir dreitausend Krebsen
Durch die Weanastodt treiben.

Wenn ich dir soll dreitausend Krebsen
Durch die Weanastodt treiben,
So mußt du mir den greanen Toanabam
Mit der Scher' abschneiden.

Wenn ich dir soll den greanen Toanabam
Mit der Scher' abschneiden,
So mußt du mir einen roten Apfel
Durch die Donau scheiben.

Wenn ich dir soll einen roten Apfel
Durch die Donau scheiben,
So mußt du mir auf immer und ewig
Eine Jungfrau bleiben.

Volksmund. *

DER VERKERT PAWER

Ein dorf in einem paüren sas,
Der geren milch und loffel as
Mit einem grosen wecke;
Vier wegen spant er an ein pfert,
Sein küch stant miten in dem hert,
Vier haws so het sein ecke;
Wol umb sein zaün so ging ein hof,
Aus kes macht er vil milich,
In das prot schos er sein packof;
Von gippen war sein zwilich,
Miten in seinem offen stand sein stüeben,
Felt grüeb er aus den rüeben,
Vol stadel lag sein hay,
Aß zwey pad aüf ein ay.

Drey stell het er in einem rind,
Zwelf weib het er mit seinem kind,
Aüf weicz drasch er sein tennen.
Vor seinem hunt hing ein pos haws,
Vil kaczen fing sein starcke maüs,
Vil mist lof aüf sein hennen.
Mit dem acker füer er gen pflüeg,
Drasch mit koren sein flegel,
Den wald er aus dem prennholcz züeg,
Klob mit eim scheit sein schlegel;
Vil schöner gerten het er aüf seim paümen,
Mit sewen mest sein pflaümen,
Vol kast sein koren was,
Vol wisen stünd sein gras.

*Hans Sachs, 1531.**

KRÄHWINKELIADEN

LEBENSGESESCHICHTE DES BÜRGERMEISTERS VON KRÄHWINKEL

Krähwinkel ist schon bei Jean Paul der Schauplatz einer Satire (Das heimliche Klaglied der jetzigen Männer, 1801), ist dann seit Kotzebues »Deutschen Kleinstädtern« (1803) als Inbegriff beschränkter Kleinstädterei bekanntgeworden. Die danach benannten Zeichnungen sind mehr oder weniger witzige Eulenspiegeleien. Ihre Wirkung beruht darauf, daß volkstümliche Redensarten oder andere bildliche Ausdrücke wörtlich genommen werden. Sie sind seit Beginn des 19. Jahrhunderts aufgekommen. Die besten Vertreter dieser Gattung sind Johann Michael Voltz (1784–1858), Christian Gottfried Heinrich Geißler (1770–1844), der Maler der Leipziger Völkerschlacht, und dessen Sohn Peter Carl Geißler (1802 bis 1872). Aber auch ein Meister wie Schwind hat in seiner Frühzeit, als Sechzehnjähriger, Krähwinkeliaden gezeichnet, die dann auf Stein übertragen wurden und 1826 in Trentsenskys Verlag in Wien erschienen. Wieweit Schwind bei der lithographischen Ausführung beteiligt war, steht (nach Weigmann) nicht fest.
Die Krähwinkeliade als solche ist heute ausgestorben. Daß es aber auch heutzutage noch manchen reizt, zeichnerisch etwas beim Worte zu nehmen, zeigt beispielsweise das Bilderwerk »Das Ei des Columbus« (Zeichnungen von Ludwig Rosenberger, eingeleitet von Ernst Penzoldt, München 1937), in dem Begriffe wie der Fuß des Berges, die Gletscherzunge, die schlafende Stadt dargestellt sind.

* Die Zeichnungen in diesem Band zur »Lebensgeschichte des Bürgermeisters von Krähwinkel« stammen aus der Feder der Hamburger Künstlerin Anja Stiehler.

Der künftige Bürgermeister wird aus dem Wasser gezogen

Er macht einen Rutscher aufs Land

Er versucht sich zu erheben

Er kommt zu sich selbst

Er muß mit den Wölfen heulen

Er fühlt einem auf den Zahn

Er nimmt eine unerträgliche Frau

Er ringt mit dem Tode

SPRACHLICHER UNSINN

Zwischen der Sprache des Erwachsenen als Werkzeug der Mitteilung und der Sprache des Kindes, die, wie man gesagt hat, »Schrei der Empfindung« ist, liegt ein weites Feld, auf dem der Spieltrieb sich in den wunderlichsten Formen austobt. Die Grenzen zwischen der Sprache des Kindes und der Sprache des Erwachsenen, des Volkes, sind fließend, die Mittel aber, die der Spieltrieb in der Sprache gebraucht, sind die gleichen. Bei näherem Betrachten lassen sich alle, auch die wunderlichsten Gebilde sprachlichen Unsinns der Kinder- und Volkssprache, auf eine sehr wohl übersehbare Zahl von Elementen zurückführen. Diesen Weg, die komische Wirkung bekannten und unbekannten sprachlichen Unsinns an der Wurzel aufzuspüren, wollen wir hier einschlagen. Wir haben zu den echten und meist alten Scherzen des sprachlichen Spieltriebs jeweils auch ein paar hübsche Kunstgebilde hinzu genommen, die mit den gleichen alten und bewährten Mitteln arbeiten. Natürlich ist es auch oft so, daß mehrere der beliebten Elemente gleichzeitig angewendet werden. Das Nähere im Anhang.

TANTENTOD

Unsre liebe gute Tante,
Könnt sie leben noch in Ruh'.
Wenn sie, wär sie nicht gestorben.
Ach! wie ging das schrecklich zu!
Kaffee trank sie,
Und da sank sie,
Auf die Bank sie,
Hin vor Schreck.
Hitze, sagt sie,
Hat sie, hätt sie,
Und – da war sie weg.

EIN HUND LIEF IN DIE KÜCHE

Ein Hund lief in die Küche
Und stahl dem Koch ein Ei,
Da nahm der Koch den Löffel
Und schlug den Hund zu Brei.
Da kamen viele Hunde
An seines Grabes Rand
Und setzten ihm ein Denkmal,
Worauf geschrieben stand:
»Ein Hund lief in die Küche …«

Mündlich

VOM VERSOFFNEN HAMMERSCHMIED

Das schöne Lied, das neue Lied,
Vor dem versoffnen Hammerschmied.
Und wer das Lied nicht weiter kann,
der fang'' es halt von vorne an,
Das schöne Lied, das neue Lied
Vor dem versoffnen Hammerschmied.

Göpels dt. Lieder- u. Commersbuch, 2., verm. Aufl., Stuttgart (1858).

LAURENTIA

Laurentia, liebe Laurentia mein,
Wann werden wir wieder beisammen sein?
»Am Sonntag!«

Drum wollt' ich, daß alle Tag' Sonntag wär'
Und ich bei meiner Laurentia wär'! Laurentia!

– und so fort durch alle Wochentage.

*Deutsches Kommersbuch, Reutlingen (1907).**

KUNZ VON KAUFFUNGEN

Kunz von Kauffungen mit zwei Rittern, saß in der Waldschenk' und trank einen Bittern.
Da besoff sich einer von den Rittern, fiel untern Tisch, daß die Wände zittern.
Kunz von Kauffungen mit einem Ritter, saß in der Waldschenk' und trank einen Bittern.
Da besoff sich der and're von den Rittern, fiel untern Tisch, daß die Wände zittern.
Kunz von Kauffungen ohne die zwei Ritter, saß in der Waldschenk' und trank einen Bittern.
Kunz von Kauffungen ohne die zwei Ritter, fiel endlich selbst ab – die Wände zittern!
Kunz von Kauffungen mit zwei Rittern lag unter'm Tisch, besiegt vom Bittern.
Da erhob sich einer von den Rittern, saß in der Waldschenk' und trank einen Bittern.
Kunz von Kauffungen mit einem Ritter schnarcht' unter'm Tisch, daß die Wände zittern.
Da erholt sich der andere von den Rittern, saß in der Waldschenk' und trank einen Bittern.
Kunz von Kauffungen, ohne die zwei Ritter schnarcht' unter'm Tisch, daß die Wände zittern.
Endlich erholt sich Kunz gleich den zwei Rittern, saß in der Waldschenk' und trank einen Bittern.
Kunz von Kauffungen mit zwei Rittern ließ nach diesem Vorfall die Pferde füttern.
Kunz von Kauffungen mit seinen Rittern ritt nach Chemnitz und trank einen Bittern.
Da besoff sich einer von den Rittern, fiel unter'n Tisch, daß die Wände zittern usw. usw.

Jos. Viktor von Scheffel. *

… »DER ANDERE WAR GLÜCKLICHERWEISE NACH HAUSE GEGANGEN …«

Ich und mein Freund, der andere war glücklicherweise nach Hause gegangen, gingen mal in Berlin spazieren. Und wie wir an die Ecke Friedrichstraße kamen, ich und mein Freund, der andere war glücklicherweise nach Hause gegangen, war da ein großer Menschenauflauf. Nun wollten wir doch auch einmal sehen, was das wäre, ich und mein Freund, der andere war glücklicherweise nach Hause gegangen, und blieben stehen. Und wie wir da standen, ich und mein Freund, der andere war glücklicherweise nach Hause gegangen, kam ein Schutzmann und sagt zu mir und meinem Freund, der andere war glücklicherweise nach Hause gegangen: »Meine Herren, Sie müssen mit mir!« Wir wußten nun gar nicht, warum, ich und mein Freund, der andere war glücklicherweise nach Hause gegangen, fragten, weshalb wir mit sollten. Da sagte der Schutzmann: »Meine Herren, es tut mir leid, aber Sie müssen mit, Sie haben jedrängelt!« Und wir hatten nun jar nich jedrängelt, aber er konnte doch nicht die nehmen, die jedrängelt hatten, sondern mußte doch die nehmen, die außen standen. So gingen denn ich und mein Freund, der andere war glücklicherweise nach Hause gegangen, mit, und wir kamen in einen großen Saal, wo lauter Herren an einem Tische saßen. Weil wir nun jedrängelt hatten, ich und mein Freund, der andere war glücklicherweise nach Hause gegangen, und wir hatten doch jar nich jedrängelt, aber er konnte doch nicht die nehmen, die jedrängelt hatten, sondern mußte doch die nehmen, die außen standen, sollten wir sterben, und der Schutzmann sagte zu mir und meinem Freund, der andere war glücklicherweise nach Hause gegangen: »Meine Herren, wollen Sie gerädert, gevierteilt, gehängt, geköpft oder in der neuen Leichenverbrennungsmaschine verbrannt werden?« Da sagte ich und mein Freund, der andere war glücklicherweise nach Hause gegangen, wir wollten in der neuen Leichenverbrennungsmaschine verbrannt werden. So kamen wir denn in die neue Leichenverbrennungsmaschine, ich und mein Freund, der andere war glücklicherweise nach Hause gegangen, weil wir jedrängelt hatten, und wir hatten doch jar nich jedrängelt, aber er konnte doch nicht die nehmen, die jedrängelt hatten, sondern er mußte die nehmen, die außen standen. Da war es sehr heiß, und nach einer Weile kam der Schutzmann und machte die Türe auf und fragte: »Meine Herren, sind Sie bald tot?« Da riefen wir: »Machen Sie die Klappe zu, es zieht!«

J. Lewalter u. G. Schläger, Deutsches Kinderlied u. Kinderspiel, Kassel 1911.

ESKIMOJADE

Es lebt'in dulci jubilo
In Grönland einst ein Eskimo.
Der liebt voll Liebeslust und Leid
Die allerschönste Eski m a i d,
Und nennt im Garten sie und Haus
Bald Eski m i e z, bald Eski m a u s.
Im wunderschönen Eski m a i,
Spazieren gingen froh die Zwei,
Geschminkt die Wangen purpurrot,
Wie's mit sich bringt die Eski m o d ',
Und setzten sich ganz sorgenlos
Ins wunderweiche Eski m o o s.
Still funkelte am Horizont
Der silberklare Esk m o n d.
Da schlich herbei aus dichtem Rohr,
Othello, Grönlands Eski m o h r.
In schwarzer Hand hielt fest den Dolch
Der eifersücht'ge Eski m o l c h
Und stach zwei-, dreimal zu voll Wut
In frevelhaftem Eski m u t.
Vom Dolch getroffen alle beid' –
-Sank Eski m o und Eski m a i d.
Da rannt' im Sprunge des Galopps
Herbei der treue Eski m o p s

Und biß mit seinen Zähnen stark
Den Mörder bis ins Eski m a r k,
Der bald, zerfleischt vom treuen Hund,
Für immer schloß den Eski m u n d. –
So ward – das ist der Schlußakkord,
Gerächt der blut'ge Eski m o r d !
Und schaurig klingt vom Norden her
Noch heut'gen Tags die Eski m ä r.

»Flieg. Blätter«, Bd. 90, Nr. 2272.

AM STRANDE

Als hochbeglückt er sah sie,
Da wandelt an der See sie,
Da redet' an er »Sie« sie,
Doch es gefiel ihm so sie,
Daß er sie nahm, die Susi.

»Flieg. Blätter«, Bd. 97, Nr. 2463.

AUCH MOZART

Liebster Stoll,
Bester Knoll,
Größter Schroll,
Bist Sternvoll,
Gelt das Moll
Thut dir wohl?

W. A. Mozart. *

FÄLLE

Er stand am mächtigen Rheinfall
Da kam ihm gleich der Einfall:
O wäre doch der Rheinfall
Kein Wasser-, sondern Weinfall!
Dann erst, dann wär er mein Fall!

Johann Dietrich Gries (1775–1842).

»SAGGA«-LIEDER

Af dar Höch, sagga,
Steht a Reh, sagga,
Schiaß i auffi, sagga,
Fallt's a he.
Af der Alma, sagt er,
Is ka Bleiben, sagt er,
Tuet bald regnen, sagt er,
Tuet bald schneiben, sagt er;
Bei der Hütt'n, sagt er,
Is ka Sein, sagt er,
Geht der Wiand, sagt er,
Aus und ein.

*H. Grasberger, Die Naturgeschichte des Schnaderhüpferls, Leipzig 1896.**

SOMMERMÄDCHENKÜSSETAUSCHE-LÄCHELBEICHTE

An der Murmelrieselplauderplätscherquelle
Saß ich sehnsuchtstränentröpfeltrauerbang:
Trat herzu ein Augenblinzeljunggeselle
In verweg'nem Hüfteschwingeschlendergang,
Zog mit Schäkerehrfurchtsbittegrußverbeugung
Seinen Federbaumelriesenkrämpenhut –
Gleich verspürt' ich Liebeszauberkeimeneigung,
War ihm zitterjubelschauderherzensgut!

Nahm er Platz mit Spitzbubglücketückekichern,
Schlang um mich den Eisenklammermuskelarm:
Vor dem Griff, dem grausegruselsiegesichern,
Wurde mir so zappelseligsiedewarm!
Und er rief: »Mein Zuckerschnuckelputzelkindchen,
Welch ein Schmiegeschwatzeschwelgehochgenuß!«
Gab mir auf mein Schmachteschmollerosenmündchen
Einen Schnurrbartstachelkitzelkosekuß.

Da durchfuhr mich Wonneloderflackerfeuer –
Ach, das war so überwinderwundervoll …
Küßt' ich selbst das Stachelkitzelungeheuer,
Sommersonnenrauschverwirrungsrasetoll!
Schilt nicht, Hüstelkeifewackeltrampeltante,
Wenn dein Nichtchen jetzt nicht knickeknirscheknie t,
Denn der Plauderplätschenquelleunbekannte
Küßte wirklich wetterbombenexquisit!

Hanns v. Gumppenberg, Das teutsche Dichterroß.

DES VERS UN PEU PLUS LONGS QUE LES ALEXANDRINS

Deine Sanskritpoesiemetriknachahmungen
Sind voll von goldfunkelnagelneublanken Benamungen.
Du überflügelst in wortschwallphrasendurchschlängeltmono-
strophischen Oden
Die Weilandheiligenrömischenreichsdeutschernationsperio-
den.
Deine mit Dank erkanntwerdenwollenden Bemühungen sind
höchlich zu rühmen:
So muß an die Himavatgangesvindhyaphilologiedornpfade be-
blümen.

August Wilhelm v. Schlegel (1767–1845).

Wie Ihnen vielleicht bekannt sein dürfte, gibt es im Hottentottenlande das »Känguruh« oder die »Beutelratte«. Besagte Beutelratte pflegt man in Gattern, genannt Kotter, aufzubewahren, welche mit Lattengitter- und Wetterschutzvorrichtungen versehen sind. Man nennt sie infolgedessen Lattengitterwetterkotter und die Beutelratten, die man darin aufbewahrt, die Lattengitterwetterkotterbeutelratten. Nun lebte im Hottentottenlande eine Hottentottenmutter, welche zwei Kinder hatte, die stotterten und an Trottolosis litten; man nannte sie infolgedessen die Hottentottenstottertrottelmutter. Auf besagte Hottentottenstottertrottelmutter wurde ein Attentat verübt, und man nannte den Attentäter den Hottentottenstottertrottelmutterattentäter. Besagter Hottentottenstottertrottelmutterattentäter wurde jedoch gefangengenommnen und in ein Lattengitterwetterkotter gesperrt, in dem sich eine Lattengitterwetterkotterbeutelratte befand. Nach einiger Zeit kniff diese Lattengitterwetterkotterbeutelratte aus, und wiederum nach einiger Zeit meldete sich auf dem Bürgermeisteramte ein Mann und sagte: »Herr Bürgermeister, ich habe die Beutelratte gefangen.« »Ja, welche Beutelratte haben Sie denn gefangen?« »Herr Bürgermeister, ich habe die Beutelratte gefangen, die in dem Lattengitterwetterkotter saß, in dem der Hottentottenstottertrottel .mutterattentäter gefangen war.« »Ach so«, sagte der Bürgermeister, »da haben Sie also die Hottentottenstottertrottelmutterattentäterlattengitterwetterkotterbeutelratte gefangen. Nun, dann nehmen Sie hier die Hottentottenstottertrottelmutterattentäterlattengitterwetterkotterbeutelrattenfangprämie in Empfang und gehen Sie befriedigt nach Hause.«

J. Lewalter u. G. Schläger, Deutsches Kinderlied u. Kinderspiel, Kassel 1911.

ZUR ERHEITERUNG BEI REGENWETTER

Ein schauerlicher Lokalregen.
Ein lokaler Schauerregen.
Ein regnerisches Schauerlokal.
Ein schauerliches Regenlokal.
Ein regnerischer Lokalschauer.
Ein lokaler Regenschauer.

»Flieg. Blätter«, Bd. 94, Nr. 2384.

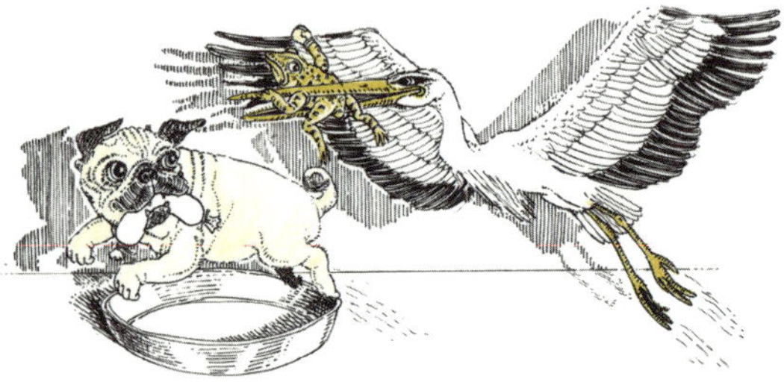

Thema.
Wenn der Mops mit der Wurst über'n Spucknapf springt
Und der Storch in der Luft den Frosch verschlingt.

Erste Variation.
Wenn der Storch mit dem Mops über'n Spucknapf springt
Und der Frosch in der Luft die Wurst verschlingt.

Zweite Variation.
Wenn der Mops mit dem Frosch über'n Spucknapf springt
Und der Storch in der Luft die Wurst verschlingt.

Dritte Variation.
Wenn der Frosch in der Luft über'n Spucknapf springt
Und der Storch mit dem Mops die Wurst verschlingt.

Vierte Variation.
Wenn der Mops mit dem Spucknapf über'n Storch wegspringt
Und die Wurst in der Luft den Frosch verschlingt.

Fünfte Variation.
Wenn der Frosch mit der Wurst über'n Spucknapf springt
Und der Storch in der Luft den Mops verschlingt.

Sechste Variation.
Wenn die Luft mit dem Storch über'n Spucknapf springt
Und der Frosch mit der Wurst den Mops verschlingt.

Siebente Variation.
Wenn die Wurst mit dem Frosch über'n Spucknapf springt
Und der Mops in der Luft den Storch verschlingt.

Achte Variation.
Wenn der Storch sich selbst in der Luft verschlingt
Und der Frosch mit dem Spucknapf über'n Mops wegspringt.

Neunte Variation.
Wenn der Mops in der Luft den Spucknapf schlingt
Und der Storch mit der Wurst über'n Frosch wegspringt.

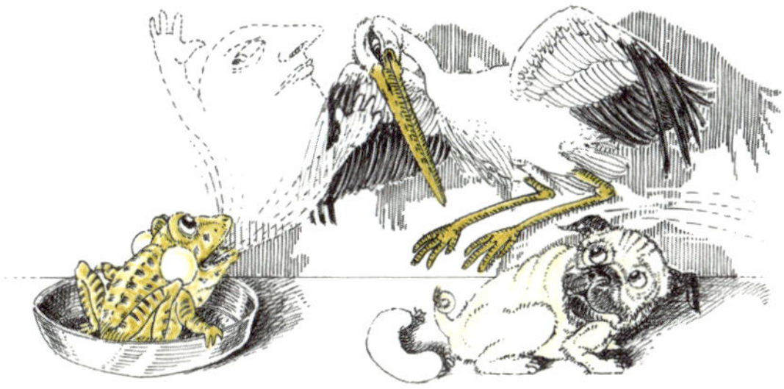

Zehnte Variation.
Wenn der Storch über'n Mops und die Wurst wegspringt
Und der Frosch im Spucknapf die Luft verschlingt.

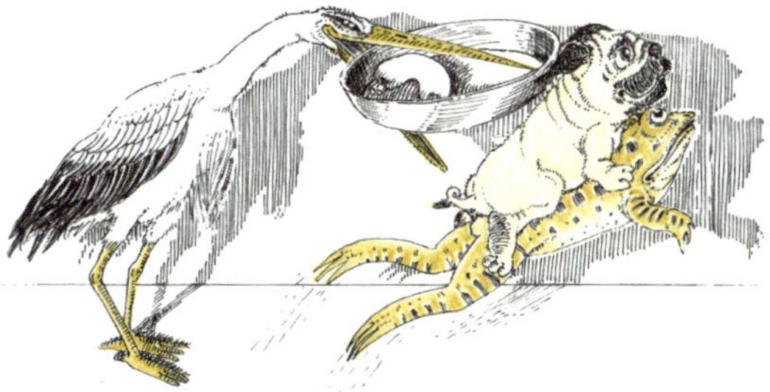

Elfte Variation.
Wenn der Frosch mit dem Mops in der Luft wegspringt
Und der Storch den Spucknapf mit der Wurst verschlingt.

Zwölfte Variation.
Wenn der Spucknapf mit der Wurst über'n Frosch wegspringt
Und der Storch in dem Mops die Luft verschlingt.

Dreizehnte Variation.
Wenn der Frosch in der Luft den Storch verschlingt
Und die Wurst über'n Spucknapf und den Mops wegspringt.

Thema.
Wenn der Mops mit der Wurst über'n Spucknapf springt
Und der Storch in der Luft den Frosch verschlingt.

*»Flieg. Blätter«, Bd. 13, Nr. 304.**

NACHTWÄCHTER-VARIATIONEN

Wenn ein Nachtwächter mit seinem Spieß in der Hand, seinen Hund hinter sich, ins Horn stößt, so wird sich gewiß niemand wundern. Wenn aber derselbe Nachtwächter, seinen Hund in der Hand, sein Horn hinter sich, in seinen Spieß stieße; oder seinen Spieß hinter sich, sich selbst in der Hand, sein Horn in den Hund stieße, oder, sich selbst hinter sich, seinen Hund in der Hand, seinen Spieß in das Horn stieße, – so würde sich gewiß die ganze Welt verwundern.

»Flieg. Blätter«, Bd. 50, Nr. 1228, gezeichnet A. E.

DER LEICHENZEHRER

In dem Grinderhunde
Einer Grappelpuppe
Saß ein merschwütiger Leichenzehrer
Und malte die Rattenschisse
Seiner freligen Sau,
Die auf einem Hosenrügel saß
Und an einem Schiletfürzchen arbeitete.

Mündlich.

DITHYRAMBUS

Wie bin ich wundersam beglückt,
Ich höchst beneidenswerter Herr!
Das schönste Briefchen fing ich emp-,
Das je ein Mädchen faßte ver-!

Welch ungeheurer Wonnetraum,
Der lodernd mir im Busen brennt!
Bei allen Göttern schwör' ich's be-,
Nie sag' ich mehr der Liebe ent-!

So wortet ant-, das holde Kind,
Sie schreibt so wunderlieb und fromm;
Und was das Briefchen nicht erzählt,
Das Beste, das binier' ich kom-.

Ihr Genien, ach, spiriert mich in-!
Ich weiß vor Lust nicht wie und wo:
Das nahe Glück verwirrt mein Herz,
O Vater Zeus, tieger' mich pro-!

E. Eckstein, »Flieg. Blätter«, Bd. 57, Nr. 1679.

POETISCHES MENÜ

Suppe des Weines.
Salmo des Rheines.
Rippe des Rindes.
Beutel des Windes.
Rücken des Rehes.
Hühner des Schnees.
Werke des Backes.
Mandeln des Knackes.

»Flieg. Blätter«, Bd. 83, Nr. 2102.

JUCUNDE

Wenn ich seh' die Holde, Traute,
Wird mir sonderbar zu Maute!

Welch ein Wesen, fein und duftig –
Und stets häuslich, still und geschuftig!

O ich möcht' mit vollem Herzen
Gleich zu ihren Füßen sterzen!

»Holdes Weib! o komm' geschwinde«,
»Sonst verblutet meine Winde!«

»Welche Lust! mit Dir zu hausen«,
»Und zu ruh'n an Deinem Bausen!«

Spräch' dann, tät sie freundlich winken,
»Willst mir Deine Liebe schinken?«

Würd' sie mich zum Besten haben –
Wär' es aus mit meinem Laben!

Gleich sucht' ich den Dolch, den stumpfen,
Denn mein Leben wär' beschumpfen!

Und noch vor dem nächsten Morgen
Würd' ich selber mich erworgen!

Bardenklänge aus Deutschlands Wehmuthsschachtel, Berlin (1867). Gekürzt.

DER NABEL

Ich stieg heut' auf den Brocken,
Sie Sonne zu erblocken.
Doch das war eine Fabel,
Denn ich sah nichts als Nabel.

Brocken, Fremdenbuch.

MAGYARISCHES SCHILFLIED

In dos Daich, das regungslose,
Schaugt dos ungorische Mond,
Glaichsam steckend saine Nose
In ain Glos – ist so gewohnt!

Wondelt Hirsch vorbai on Higerl,
Nocht ist etwas dunkel zwor,
Ober Hirsch ist stolz wie Gigerl –
Hirsch ist eben: Mogyor!

Wann ich seh dos, muß ich sogen:
Dos ist scheen! Teremtete!
Dos geht ainem durch den Mogen
Wie ain haißer Nochtkoffee.

*Niémetz Lenau Ferencz Miklos, »Jugend«, 1902, Nr. 36.**

FÜNF LIEDER AUF EINMAL

Ein freies Leben führen wir
Im Wald und auf der Heide,
Nach Frankreich zieh'n zwei Grenadier,
Und »morgen muß ich fort von hier«,
Mädel, ruck an meine grüne Seite.

*Deutsches Kommersbuch, Reutlingen (1907).**

GOETHE-QUINTESSENZ

(Allen zitatenbedürftigen Gemütern gewidmet)

Ihr naht euch wieder? In die Ecke, Besen!
Luft! Luft! Clavigo! Meine Ruh' ist hin.
Der König rief: Ich bin ein Mensch gewesen,
Das Ewig-Weibliche, das war mein Sinn.
Ein deutscher Mann mag keinen Franzen leiden,
Der and're hört von allem nur das Nein.
Ich weiß nicht, nur die Lumpe sind bescheiden,
Ein Werdender wird immer dankbar sein.

Mir graut's vor dir, der Kasus macht mich lachen,
Und Marmorbilder steh'n und seh'n mich an;
Wer fertig ist, dem ist nichts recht zu machen,
Der Morgen kam, kühl bis ans Herz hinan.
Prophete rechts – mein Herz, was soll das geben?
Du sprichst ein großes Wort gelassen aus;
Das Wasser rauscht ins volle Menschenleben,
Ich denke dein, so oft er trank daraus.

Wenn ihr's nicht fühlt, ihr werdet's nicht erjagen;
Der Page lief, man sieht doch wo und wie.
Was hör' ich draußen? Fräulein, darf ich's wagen?
Grau, teurer Freund, ist alle Theorie.
Heißt mich nicht reden, schwankende Gestalten!
Man merkt die Absicht, dunkler Ehrenmann!
Durch Feld und Wald laßt mir herein den Alten;
Ich kenne dich, du siehst mich lächelnd an.

Er sah ihn stürzen, himmlisches Behagen!
Der Knabe kam und ward nicht mehr geseh'n.
Die Sonne sinkt, du mußt es dreimal sagen –
Dies ist die Art, mit Hexen umzugeh'n.
Der Geist der Medizin ist leicht zu fassen,
Von Zeit zu Zeit seh' ich den Alten gern …
Es muß sich dabei doch was denken lassen?!
Ergo bibamus! ist des Pudels Kern.

Edwin Bormann, »Flieg. Blätter«, Bd. 83, Nr. 2107.

BIBLIOGRAPHIE MIT PHANTASIE

Max Storchschnabels / Optischer Kunst-Griff / wie man die Leute mit sehenden Augen blind machen soll / damit sie das Gesicht mit den Brillen nicht verderben. Oculi Anno 3749. in folio 12 Bände.

Faullaenzers practicirte Erkäntniß von der Vortrefflichkeit des Mißiggangs; wodurch man in kurtzer Zeit bis zu dem Freyherrn Stand gelangen / und sein Stück Brod mit Spatziern gehen vor den Häusern erwerben kann. Bethlehem Anno 1596. in folio.

Ein Schraubstock / womit man die großen Mäuler zusammen ziehen kan / wenn sie von den Prahlereyen wie die Geld-Beutel ausgedehnet worden. Man hat diese Maschine darum erfunden / weil man sonst befürchten müste / daß die Aufschneidereyen / eine allgemeine Land-Seuche verursachen dürfften / weil sie ohnedem schon so starck eingerissen / daß man nicht mehr weiß was man glauben soll.
Catalogus von den raresten Büchern und Manuskriptis, Franckfurth, Leipzig 1700. 1720.

Man muß sich vorstellen, das Lesen geschehe in einem öffentlichen Blatte, worin sowohl politische, als gelehrter Neuigkeiten, Avertissements von allerlei Art usw. anzutreffen sind: der Druck jeder Seite sei in zwei oder mehrere Kolumnen geteilt, und man lese die Seiten quer durch, aus einer Kolumne in die andere. pt.
Heute wurde Frau N … von Zwillingen entbunden –
Wer auf zehne pränumeriert, kriegt eines umsonst.

Neulich gab der Kurfürst dem Kapitel ein splendides Diner –

Drei Personen wurden gerettet, die Übrigen ersoffen.

Die drei Damen, deren gestern Erwähnung geschehen –
Können immer eine Stunde vor der Auktion besichtigt werden.

Am 13. dieses schlug der Blitz in die hiesige Kreuzkirche –
Und setzte Tages darauf seine Reise weiter fort.

Die Vermählung des Grafen v. P …. ist glücklich vollzogen worden –
Er hat aber Gottlob! nicht gezündet.

*G. Chr. Lichtenberg, Vermischte Schriften, Bd. 2, Göttingen 1844.**

 DIE BÖSE SCHWIEGERMAMA

Da kann kein Kaiser und kein König
Was dran machen,
S'ist zum Lachen, holahi.
Und wer ward schuld daran?
Ja, das war die böse Schwiegermamama.
Eine Triko-, Triko-, Trikotaille hat sie an,
Stiefel ohne Sohlen und kein Absatz dran.
Denn sie war zu Pferde, wau, wau, wau, wau, wau …
Und das nicht nur zur Sommerszeit,
Nein, auch im Winter, wenn es schneit.
Die Vöglein im Walde,
Die sangen so wunderschön,
In der Heimat, in der Heimat
Da gibt's ein Wiedersehn.

Mündlich. *

DICHTERLOS

»Was ist denn heut' mit meinem Dichter los?«
Sprach einst Mäcenas, »ich bin dichterlos!«
»Man läßt im Schuldturm nicht den Dichter los,
Denn Schuldenmachen, Herr, ist Dichterlos!«

»Flieg. Blätter«, Bd. 85, Nr. 2143.

SAUERKRAUT-VARIATION

Wenn eine Sau ergraut ist,
Ist sie ein altes Schwein.
Wenn eine Sauerkraut ißt,
Braucht sie es nicht zu sein.

Mündlich.

DAS VEILCHEN

Auf dem Berge, o wie kratzig,
Großer Baum gewachsen hat sich.
Is sich scheen von Angesicht.
Blimchen heißt: Vergißmeinnicht!
Iberschrift: der Veilchen.

Mündlich.

VOULEZ-VOUS SPAZIEREN GEHN?

Voulez-vous spazieren gehn
Avec moi durch die Alleen?
Non, monsieur, das kann nicht être,
Denn maman steht am fenêtre.

Mündlich.

Du hast mir ins Auge *gestochen* (§ 223),
Hast mir meinen Frieden *geraubt* (§ 249),
Du hast mir mein Herz *gestohlen* (§ 242),
Mit Wahnsinn *bedroht* mein Haupt (§ 241).
Du hast in mir Brand *gestiftet* (§ 306),
Hast meine Ruhe *gestört* (§ 360, Ziff. 11),
Hast mich mit Tränen *vergiftet* (§ 229),
Betrogen mich unerhört (§ 263).
Du hast einen andern *begünstigt* (§ 257),
Du hast mir so vieles *verhehlt* (§ 258),
Du hast mich durch Liebreiz *bestochen*,
Als ich dich zur Liebsten *gewählt* (§ 109),
Zuerst hast meinem Bewerben
Geleistet du *Widerstand* (§ 113),
Dann *hieltest* du widerrechtlich
Gefangen Herz und Hand (§ 239).
Oft hast du um Gnade *gebettelt* (§ 360, Ziff. 4)
Und manchen Schmuck und Putz
Erpreßt mit gewaltigen Küssen (§ 253)
Aus strafbarem *Eigennutz* (§ 292).
Du löstest die heiligsten *Bande* (§ 243, Z. 6, § 250, Z. 2),
Der *Untreue* klag' ich dich an (§ 206).
Mit *Meineid* (§ 153) hast du zerstört mir
Die ganze Lebens-*Bahn* (§ 305).
Führ' immer du heimliche Waffen (§ 367, Ziff. 9),
Mir wird nicht länger bang –
Ich lasse zur Strafe dich *sitzen*
Dein ganzes Leben *lang* (§ 14, § 17).

von Miris (d.i. Franz Bonn), »Flieg. Blätter«, Bad. 66, Nr. 1646.

ROMANPHRASE

»Er warf sich in die Ottomane, seinen Hut auf den Tisch, seine Augen auf das Bild, welches sich ihm bot, die Handschuhe in die Ecke, die Arme um des Liebchens Hals und eine freundliche Bemerkung in das eben vernommene Gespräch; beim Abschied allen eine Kußhand zu, die Flinte nicht ins Korn, sondern sich in den Wagen und in die Wogen neuen Schaffens und dann in Morpheus' Arme!«

»Flieg. Blätter«, Bd. 86, Nr. 2179.

PROSAFETZEN

Lautlos hallte der Schuß durch die Hallen.

»Ha«, lachte er höhnisch, ohne eine Miene dabei zu verziehen.

Nach diesem Schlag ging er in ein Restaurant, bestellte sich zwei Eier und versank in dumpfes Brüten.

Mündlich.

DIE BEHUTSAMKEIT KARLS DES GROSSEN

Karl der Große ging eines Tages spazieren. Da begegnete ihm ein Untertan, der sich tief verneigte. Der Kaiser zog seinen Hut. Das ist die Geschichte von der Behutsamkeit Karls des Großen.

Mündlich. *

DIE LEUTSELIGKEIT KARLS DES GROSSEN

Karl der Große begegnete einst auf einem Spaziergang einem alten Weibe. »Guten Tag, altes Weib«, sprach da Karl der Große. »Guten, Tag, Karl der Große«, antwortete das alte Weib. Diese und ähnliche Geschichten erzählt man sich von der Leutseligkeit Karls des Großen.

Mündlich. *

FETTLEIBIGKEIT

Eine Dame in Hamburg war so fett, daß man jedesmal, wenn man sie gesehen hatte, eine Schnaps darauf trinken mußte.

Jocosus d. Jüngste, Humor u. Laune, Mainz 1872.

HÄSSLICHKEIT

In Krakau lebt eine Frau, welche so häßlich ist, daß das Feuer ausgeht, wenn sie in das Herdloch schaut.

»Flieg. Blätter«, Bd. 46, Nr. 1124.

TAUBHEIT

»Ich sag's Ihnen, wenn einer neben mir eine Kanone abfeuert, so ist's vor meinen Ohren so totenstill, daß ich ein Mäuserl könnt' laufen hören.«

»Flieg. Blätter«, Bd. 49, Nr. 1220.

WIDERSPRÜCHE

Manchmal sieht einen die eigene Kusine unverwandt an.

Wenn man auf Kohlen sitzt, kann man erst recht nicht warm werden.

Schlecht behütete Mädchen tragen oft sehr gute Hüte.

Wie kann man nur den tapferen Andreas Hofer zur Reklame für einen Feigen-Kaffee benützen.

Paul v. Schönthan, »Jugend«, 1898, Nr. 34.

GEISTREICHE BLÖDELEIEN

Ich kenne den Herrn nicht, aber woher ich ihn nicht kenne, kann ich mich nicht mehr erinnern.

Dieser Lindenbaum gäbe eine herrliche Allee.

Unreifes Obst schadet, besonders der Gesundheit.

Wie viele Selbstmorde sind nicht schon bereut worden!

Spare in der Zeit; denn wann solltest du dies sonst tun?

Sei nie unzufrieden; denn wenn du zufrieden bist, wirst du dich weit glücklicher fühlen.

Ermanne dich und beweibe dich!

Selbst wenn jede Hoffnung geschwunden ist, gib dieselbe nimmer auf.

»Flieg. Blätter«, Bd. 42, Nr. 1037 u. 1041; Bd. 46, Nr. 1121; Bd. 84, Nr. 2124.

NICHT VERWECHSELN

Sommersprossen sind keine Gesichtspunkte.
Eine Goethefigur aus Schokolade ist noch lange keine geistige Nahrung.

Mündlich.

KAUM MÖGLICH

Ein Messer ohne Klinge, an welchem der Stiel fehlt,
Ein doppelter Kinderlöffel für Zwillinge.
Eine Repetiersonnenuhr von Silber.

*G. Ch. Lichtenberg, Vermischte Schriften, Bd. 6, Göttingen 1845.**

NUR MUT!

Mir nach, ich folge.
Vorwärts Kameraden, wir müssen zurück.

die Verfolgung eines Handwerksburschen betreffend.
»– Hierauf kam es zu einer Rauferei –, bald lag ich unten, bald lag er oben.«

»Flieg. Blätter«, Bd. 44, Nr. 1082.

Der vollständige Bericht des Gerichtsdieners lautet etwa so:

Kürzlich ging ich auf der Straße. Plötzlich erhielt ich einen fürchterlichen Schlag ins Genick. Das fiel mir auf. Interessiert drehte ich mich herum. Hinter mir stand ein Kerl. Ich nicht faul, gehe auf ihn los, hole aus – und er haut mir eine runter. Wir kamen ins Handgemenge, bald lag er oben, bald ich unten. Aber dann wendete sich das Blatt; da lag ich unten und er oben. Auf einmal riß er aus, ich immer vorneweg.

UMSCHWUNG

Direktor einer Aktiengesellschaft (bei einem Festessen derselben, zu den bereits etwas angeheiterten Aktionären): »Meine Herren!« – (»Bravo!)« – »Soeben erhalte ich eine Nachricht, die ich Ihnen sofort mitteilen muß!« – (»Hurrah!«) – »Der Mann, dem wir jahrelang unser Vertrauen geschenkt, unser Kassierer ...« – (Aah! Hoch! Hoch!) – »... ist durchgebrannt!« – (»Ooooh!«)

*»Flieg. Blätter«, Bd. 93, Nr. 2345.**

RUNDGESANG

Sie hat ein Kind-
Sie hat ein Kind-
liches Gemüt.

Sie hat ein' Flo-
Sie hat ein' Flo-
rentiner Hut.

Volksmund. *

STÄNDCHEN

Es grüßt dich Sau-
Es grüßt dich Sau-
bres Mägdelein.

Es grüßt dich Schwein-
Es grüßt dich Schwein-
furts Jugend und Gesangverein.

Mündlich, Sachsen.

BEISPIELSPRICHWÖRTER*

Sauer macht lustig, sagte jener Gute zu seiner Frau und zerschlug ihr den Essigkrug auf dem Schädel.

Nicht aus sinnlichem Triebe, nein, aus christlicher Liebe! säd' de Paster, as he bî de Diern slêp.

Das tu ich für euch alle, säd' des Paster, söp den Brânnwîn allên ut.

»O lieb, so lang du lieben kannst!« sagte der Floh – und sprang auf die Giraffe.

»O wunderschön ist Gottes Erde und wert, darauf vergnügt zu sein!« jauchzte der Radler – da lag er im Straßengraben.

»Den fröhlichen Geber hat Gott lieb«, sagte der Lausbub – und gab dem andern lachend eine Ohrfeige.

»Es gibt im Menschenleben Augenblicke«, sagte das Neugeborene – und verschied.

»Noch keinen sah ich fröhlich enden«, sagte der Scharfrichter.

»Sehr richtig«, bemerkte der Igel, hüpfte von Ast zu Ast, sträubte sein Gefieder und schwang sich trillernd in die Lüfte.

»Man muß nur nicht den Kopf verlieren«, sagte der Dieb, als er gehängt und nicht geköpft wurde.

»'s kommt koi Unglück alloi«, sagt's Mädle und gebar Zwillinge.

»Wie gewonnen, so zerronnen«, sagte das Mädchen, als es die Jungfernschaft verloren.

»Höger h'rup!« segg'n de Mätens von Wolgast, »dat't 'n Jung wârd.«

»'s is ne oll's Butter, woas de Kuh gitt«, sagte die Magd, als sie in einen Fladen trat.

»Wohltätig ist des Feuers Macht«, sagte der Besitzer einer Versicherungspolice und zündete sein Haus an.

»Das kommt ganz auf den Buchbinder an«, sagte der Schulmeister, als man ihn fragte, wieviel Bände Schiller geschrieben hat.

»Ficks kumm, Herr Paster stichelt«, säd' de Schêper, as de Paster ower 'n gôden Hirten predigt.

»Wie man's macht, so ist's«, hat der Schneider g'sagt, da hat er's Hosentürlein hinten hingemacht.

»Meine Werke folgen mir nach!« sagte der Töpfer und fiel mit dem Ofen um.

»Wann de Lährer nich mit verbrannt eß, kann't âl nich helpen«, sagg de Jung, do was de Schôl afbrannt.

»Jetzt kommen wir zu dem Wichtigsten«, sagte der Pastor, da blieb er stecken.

»All's mit 'n Mât!« säd' de Snider un slög de Frû mit de Ell' dôd.

»Irren ist menschlich«, hat der Gockel gesagt, da hat er auf der Ente gesessen.

»Lieber fünf Minuten feig, als das ganze Leben tot«, sagte der Franzose, da hielt er die Hände hoch.

»Kaum«, sagte der Ochse, als er gemolken werden sollte.

»Bong«, sagte der Graf, denn er sprach fließend französisch.

»Très bien«, sagte er ein Jahr später, denn er hatte bedeutend hinzugelernt.

»Bong«, sagte der Graf, zog die Augenbrauen und die Reitstiefel in die Höhe und spuckte erfrischend im Kreise umher. Und die Gräfin lächelte kühl, was bei der heißen Temperatur sehr angenehm wirkte.

»Zeit ist Geld«, sagte der Ober, da addierte er das Datum mit.

»Aha«, sagte der König, und so war es auch.

»Das war noch'n Glück!«, rief der Heuschreck, da ließ er ein Bein zurück.

Wilhelm Busch.

»Man soll den Teufel nicht an die Wand malen«, das hat mein Taufgöd zu seinem Freund g'sagt, wie der sein Weib hat porträtieren lassen.

Nestroy.

DER SCHÜTTELREIM*

Das Feld der Sprachspielereien ist unerschöpflich und bietet die vielfältigsten Reize. Wir möchten uns mit einigen Empfehlungen für eigene Produktion verabschieden.
Neben dem Beispiel-Sprichwort läßt der Schüttelreim noch viele Möglichkeiten offen. Schüttelreime entstehen, wenn die Anfangskonsonanten der zwei- oder mehrreimenden Silben oder Worte eines Reimpaares so vertauscht werden, daß diese gerüttelten Reime einen Sinn bzw. einen noch verständlichen Unsinn oder Tiefsinn ergeben.

DER KÜRZESTE

Du bist
Buddhist.

Mündlich.

WEIHNACHTEN

Ein Sternenfall
Im fernen Stall!

Anton Kippenberg.

EIN EINST BERÜHMTER PARODISTISCHER

Als Gottes Atem leiser ging
Schuf er den Grafen Keyserling.

Anton Kippenberg zugeschrieben.

BESONDERS SCHÖNE, LUSTIGE

Ich gehe mal in den Birkenwald,
Denn meine Pillen wirken bald.

Ich lernte sie mit Perlen kennen,
Jetzt geht sie mit den Kerlen pennen.

Im Zorn zückst du das Hackebeil.
Der Zahnarzt macht die Backe heil

Die Boxer in der Meisterklasse,
Die hauen sich zu Kleistermasse.

GESCHÜTTELTER SCHLEIFENREIM

Das war das schöne Fräulein Liebetraut,
Das an den Folgen einer Traube litt.
Da wurden ihr im Magen Triebe laut,
Worauf sie schnell in eine Laube tritt.

Erich Mühsam.

Das Sprichwort, von Hause aus als echte Volksweisheit amüsant genug, bietet z. B. ungeahnte Möglichkeiten der Abwandlung. Dasselbe gilt von sprichwörtlichen Redensarten und geflügelten Worten.

1. DIE EINFACHE VARIANTE

Spare in der Not, dann hast du Zeit dazu.

Ein blindes Schwein findet manchmal auch eine Eichel.

Die Axt im Hause erspart die Ehescheidung.

Morgenstunde hat Blei im Arsch.

2. DIE HÖHERE VARIANTE

Besser das Dienstmädchen im Bett als die gnädige Frau auf dem Dach.

Besser eine Taube im Bett als eine Schwerhörige auf dem Dach.

3. DIE WEITERFÜHRUNG

Wer Gott vertraut und Bretter klaut,
Der kriegt 'ne bill'ge Laube.

Trocken Brot macht Wangen rot.
Butterbröter noch viel röter.

Alles Ird'sche ist vergänglich,
Nur der Kuhschwanz, der bleibt länglich.

Also hat Gott die Welt geliebt,
Und der Pfarrer seine Köchin.

Variante:
Und der Pfarrer sein' Hausknecht – und der hieß Marie.

Schwein muß der Mensch haben.
Wer kein Schwein hat, muß ein Mensch haben.

4. DIE VERSCHRÄNKUNG

Wie man sich bettet, so schallt es heraus.

Wer zuletzt lacht, krümmt sich beizeiten.

5. DIE ANALOGIE

Wer im Sommer Kappes klaut,
der hat im Winter Sauerkraut.

Wenn man Pech haben soll, kann
man sich den Finger in der Nase brechen.
(Variante: … die Hand im Hosensack brechen.)

6. DIE NEUSCHÖPFUNG

Bei mir Schiefertafel – uff mir kannste rechnen.

Berlin, 20er Jahre.

Versteckte Imperative bedürfen keines Kommentars. Es gibt sie – man muß sie nur erkennen. Der Schriftsteller wird nicht zaudern, wenn es darum geht, »zahlreiche Honorare« aufzulösen in einen Appell an den Verleger »Zahl' reiche Honorare«. Man muß nicht unbedingt zum Dieb werden, wenn man »Stilvolle Geldtaschen« sprachlich auseinander nimmt in »Stiehl volle Geldtaschen«.

Weitere Anregungen:

Hautkranke Studenten
Geheimpolizist
Eisenbahngeleise
Tiroler Weinberge
Mausgraue Handschuhe
Moltkedenkmal
Blutlache
Zyankali

Am schwierigsten sind die in Personennamen versteckten wie Gebauer – Geh Bauer.

Überhaupt die Namen, was für Möglichkeiten eröffenen sie! Die Fälle echter Harmonie von Beruf und Name sind gar nicht so selten:
Zahnarzt Dr. Wimmer
Tierarzt Dr. med. vet. Maus
Küster Weyrauch
Pilot Faller
Kraftfahrer Tieftrunk
Schöffe Butterweich
Kammersänger Knödel.

Man kann sie natürlich auch erfinden …

Ein wenig komplizierter sind die *fingierten* Adressen: Ganz leise kräht der Hahn in Altenburg = Kanzleisekretär Hahn in Altenburg.

Die unsterbliche Sprachspielerei der Kinder, Wörter aufzuspüren, die – wie Otto und Anna – von vorn oder hinten gelesen gleich lauten, ist unerschöpflich; es lassen sich höchst komplizierte Gebilde erfinden. Etwa:

Reliefpfeiler
Ein Esel lese nie.
Eine treue Familie bei Lima feuerte nie.
Ein Neger mit Gazelle zagt im Regen nie.

ANMERKUNGEN

BLÜHENDER UNSINN UND HÖHERER BLÖDSINN

Der Unsinnsdichtung ist eine wissenschaftliche Analyse widerfahren durch das großangelegte Werk von »Alfred Liede, Dichtung als Spiel. Studien zur Unsinnspoesie an den Grenzen der Sprache.« Bd. 1. 2. Berlin 1963. Seine Lektüre wird allen, die Humor und Sprache lieben, wärmstens empfohlen.

S. 16. *Dunkel war's, der Mond schien helle.* Hierzu gibt es in den verschiedensten Kinderreimsammlungen verschiedene Varianten. Ursprung unbekannt. Vielfach wird noch folgender Schluß angehängt:

Holder Engel, süßer Bengel,
Herzgepuppertes Trampeltier,
Du hast Augen wie Sardellen,
Alle Ochsen gleichen dir.
Du bist gerührt wie Apfelmus,
Flüssig wie Pomade,
Dein Herz schlägt wie ein Pferdefuß
In der linken Wade.

S. 17. *Akademische Wanderlust.* Der Jurist Ludwig Eichrodt ist einer der fruchtbarsten und liebenswürdigsten deutschen Humoristen (1827–1892). Er war Mitarbeiter mehrerer deutscher Witzblätter; 40 Jahre lang steuerte er den »Fliegenden Blättern« wertvolle Beiträge bei, nachdem er dort 1848 mit seiner »Wanderlust« (»Nach Italien, nach Italien«) einen Volltreffer erzielt hatte. Auf seine 1890 erschienenen »Gesammelten Dichtungen« sei besonders hingewiesen. A. Kennel hat uns (1895) eine knappe und treffliche Darstellung vom Leben und Schaffen dieses vielseitigen Mannes gegeben.

S. 18. *Blühender Unsinn.* Dieses Gedicht findet sich spaßigerweise in dem »Deutschen Lesebuch, zunächst für die obere Classe der Vorschule und die Handelsschule zu Bremen«, T. 2, Bremen 1833. Verantwortlich zeichnet (Joh. Georg) Messerschmidt (1776–1831), Prof. am Gymnasium zu Altenburg.

S. 18. *Wenn der Vater* ... Der Verfasser dieser berühmten Folge steht noch immer nicht fest. Manche tippen auf F. Th. Vischer (z.B. das »Kommersbuch der Tübinger Hochschule«, 10. Aufl. 1912); Julius Wiegand (Gesch. d. dt. Dichtung, 2. Aufl. 1928) nennt L. Eichrodt; das »Neue dt. Kommersbuch«, 2. Aufl. 1925, gibt an: »Aus Halle. Zeit unbekannt. Wohl um 1840.« Wir zitieren nach »Göpel's dt.

Lieder- und Commersbuch«, 2. Aufl. Stuttgart (1848). Der sonst zuverlässige Friedrich Schneider nennt in seinem »Titelbuch« F. Th. Vischer mit der Jahreszahl 1882 als feststehend.

S. 20. *Der Nabel.* Die letzte Strophe ist eine Schiller-Parodie (»Ritter Toggenburg«, Strophe 10).

S. 21. *Tragische Geschichte.* Zuerst in »Moosrosen, Taschenbuch für 1826«, hrsg. von Wolfgang Menzel, Stuttgart. Illustriert in »Flieg. Blätter« I, 6; hieraus unser Holzschnitt S. 15.

S. 23. *Das Krokodil.* Deutsche Literatur, Reihe Formkunst, Bd. 3, Leipzig, Reclam 1939. – Dieses Gedicht von H. Lingg (1820 bis 1905) ist dadurch berühmt geworden, daß die Münchner Gesellschaft der »Krokodile« sich danach benannte.

STUDENTEN-ULK

S. 27. *Das einzig Wahre.* Thiele verzeichnet dazu: »Nach Johann Wilhelm Gleim.« Gemeint sein dürfte die erste Strophe des weit zahmeren Gedichtes »An den gelehrten Duns« von J. W. Ludwig Gleim:

»Laßt uns die Vernunft vertrinken,
Grundgelehrter Duns!
Laßt und die Vernunft vertrinken,
Denn, was nützt sie uns?«

S. 28. *Der Frosch.* Auch in den »Flieg. Blättern«, Bd. 12, Nr. 265.

S. 28. *Wassermaus und Kröte.* Die drei Anfangszeilen dieses Gedichtes sind zum geflügelten Wort geworden (Büchmann). Ganz ähnlich beginnt auch die zugrundeliegende, naturgemäß ganz anders geartete Fabel von M. G. Lichtwer (1719 bis 1783), die von dem Tod der Kröte berichtet und mit dem üblichen moralischen Schwänzchen schließt. Als Vater der bekannteren veränderten Fassung gilt der Berliner Hofschauspieler F. Rüthling (1793–1849), der auch andere humorige Sachen gedichtet und veröffentlicht hat. Von ihm stammen auch die ebenfalls geflügelten Worte »Ich liebe dir, ich liebe dich usw.«. Seine Wassermausverse sind in einem Souffleurbuch (im Besitze der Intendanturbibliothek der Preußischen Staatstheater) aufgezeichnet. Allerdings lautet seine Fassung etwas anders als unsere obengenannte, wie sie in den meisten Kommersbüchern verzeichnet ist.

S. 30. *Aus Rundgesängen.* Nach Kindleben waren solche Soli schon im 18. Jahrhundert sehr beliebt und oft sehr unanständig. Berühmt und geradezu geflügelt ist allein diese Strophe von den Hallischen Jungfrauen. Legendenbildungen enthalten stets einen historischen Kern.

S. 32. *Stumpfsinn, Stumpfsinn.* Die Stumpfsinn-Strophen scheinen um 1900 aufgekommen zu sein.

DER ALLGEMEINE DEUTSCHE REIMVEREIN

S. 35 ff. Zum »Allgemeinen deutschen Reimverein« vgl. das entsprechende Kapitel (S. 111–148) bei H. Wolfgang Seidel, Erinnerungen an Heinrich Seidel. Stuttgart u. Berlin 1912 und Adolf Heilborn, Der Allgemeine deutsche Reimverein. In: Velhagen & Klasings Monatshefte 1940, S. 95–99.

KÜRZE – WÜRZE

S. 44. *Wetterregeln.* Weitere Wetterregeln dieser Art bringt z. B. Kokes, Schlagworte des Humors. Leipzig 1891, S. 6–7 und bemerkt dazu: »Mit Ausnahme des sehr alten ersten Verses (»Kräht der Hahn auf dem Mist ...«) machten die vorstehenden mit noch mehreren anderen Versen als ›Neueste untrügliche Wetterregeln des alten Schäfers Thomas‹ im Februar 1886 die Runde durch die deutschen Zeitungen.« – Vgl. auch Eilert Pastor, Deutsche Volksweisheit in Wetterregeln und Bauernsprüchen. Mit 56 Abbildungen. Berlin 1934.

S. 46. *Stammbuch-Verse.* Mit Ausnahme der ersten beiden echten Stammbuchverse (zitiert nach Robert u. Richard Keil, Die dt. Stammbücher d. 16.–19. Jhs., Berlin 1893) handelt es sich, wie schon aus den Quellennachweisen zu ersehen ist, um Kunstgebilde heiteren Unsinns, die nur die Form echter Stammbuchverse wahren, den Ton aber übertreiben – also Parodien und Karikaturen sind.

S. 46. *Dem Ochsen gibt das Wasser Kraft.* Zit. nach Robert u. Richard Keil, Die deutschen Stammbücher. Berlin 1893 S. 269.

S. 48. *Die Liebe is en Feuerzeug.* Enthalten in: Adolf Glaßbrenner, Der Weihnachtsmarkt.

S. 48. *Grabschriften, Marterln.* Die meisten dieser echten Grabschriften sind der guten Sammlung von Anton Dreselly, Grabschriften, Marterl-, Bildstöckl- u. Todtenbrett-Verse, 2. Aufl., Salzburg (1900) entnommen. Manche gehören vielleicht ins Gebiet des »unfreiwilligen Humors«.

S. 50. *Mein Kind, das war ein Rosenknopf* ... und die zwei folgenden Marterln. Zitiert nach Herbert Schwedt, Heitere Grabsprüche und Hausinschriften. In: Der Deutschunterricht. Stuttgart, Jg. 15. 1963, S. 61–72.

S. 50. *Hier unter diesem Leichenstein.* Dreselly versieht seine Fundortangabe mit einem Fragezeichen. Es ist überhaupt unwahrscheinlich, daß dieser Spruch echt ist, denn er ist nur eine Umbildung der bekannten Rabenaas-Strophe:

Ich bin ein arges Rabenaas,
Ein alter Sündenknippel,
Der seine Sünden in sich fraß
Als wie der Rost die Zwiebel.
Herr Jesu, nimm mich Hund beim Ohr,
Wirf mir den Gnadenknochen vor
Und schmeiß mich Sündenlümmel
In deinen Gnadenhimmel.

Diese Strophe hat man lange Zeit für ein echtes altes evangelisches Gesangbuchlied gehalten. Durch neuere Forschungen, insbesondere durch die des Archivrates Dr. Jakobs in Wernigerode, ist es aber erwiesen, daß diese Verse von einem Gottlosen, dem Revolutionär Friedrich Wilhelm Wolff, genannt »Kasematten-Wolf«, stammen. Er brachte diese Ente 1840 in den »Schlesischen Provinzialblättern« unter. (Vgl. »Die Heimat«, Beilage zu den Münch. Neuesten Nachrichten, 23. Aug. 1933.) Die letzten vier Verse der Rabenaas-Strophe zitiert – mit ausdrücklichem Hinweis auf F. W. Wolff – Hermann Anders Krüger in seinem Bildungsroman »Gottfried Kämpfer«.

S. 50. *Hier liegt die alte Anna.* Zitiert nach Karl Reuchel, Deutsche Volkskunde, T. 1, S. 137, Leipzig 1920.

S. 51. *Einst führte er die Jugend.* Zit. nach »Zwiebelfisch«, Jg. 13, 1921/22, S. 63. Ernst Niebergall, der unsterbliche Datterich-Schöpfer, zitiert »den erbaulichen Vers«:

»Allhier erzieht man die Jugend
Zu Gottesfurcht und Tugend,
Zerbläuet auch den Hintern,
Den widerspenst'gen Kindern«
in einem Brief vom 21. April 1837 an Karl Staudinger (vgl. Karl Esselborn, E. E. Niebergall. Darmstadt 1922 S. 30).

S. 51. *Die Wittib. Das Ehepaar.* Zit. nach Klabund, Der Leierkastenmann. Volkslieder der Gegenwart. 3. Aufl. Berlin o. J. S. 18 u. 19.

S. 52. *Volks- und Kinderreime.* Die folgenden Reime sind fast alle noch heute in verschiedenen Fassungen volksläufig. Wir geben zu den einzelnen Stücken immer nur eine Quelle an, und zwar die, deren Fassung wir uns angeschlossen haben.
Ein prächtiges Buch über »Sprache und Humor des Kindes« hat Hermann Helmers geschrieben (Stuttgart 1965).

S. 52. *Pietsch und Lehmann.* O. Dähnhardt, Volkstümliches aus dem Königreich Sachsen, H. 1, Nr. 29, Leipzig 1898.

S. 52. *Eine kleine Dickmadam.* K. Wehrhan, Frankfurter Kinderleben in Sitte und Brauch, Wiesbaden 1929, S. 382.

S. 53. *Im Walde in kühlem Schatten.* O. Dähnhardt (s. o.), 1, Nr. 44.

S. 54. *Auf dem Berge Sinai.* Diese beliebten Kinderreime liegen in sehr verschiedenen, zum Teil noch derberen Fassungen vor. Unsere Fassungen dürfte die geläufigste sein: Kurt Müller, Kinderreime aus Leipzig und Umgebung. In: Zschr. d. Vereins f. Volkskunde, Berlin, Jg. 5, 1895, S. 201. Verwandt damit sind die nicht minder offenherzigen Verse »Auf der Brücke zu Paris« und »Auf der grünen Wiese« (vgl. R. Wossidlo, Mecklenburgische Volksüberlieferungen, Bd. 4 [1931], T. 1).

S. 54. *Uff'n Dohmasser Därmchen.* O. Dähnhardt (s. o.), 1, Nr. 37.

S. 54. *An der Saale hellem Strande.* O. Dähnhardt (s. o.), 1, Nr. 79.

S. 55. *Unsre Katz ...* Diese Fassung zitiert z.B. Ludwig Ganghofer im »Lebenslauf eines Optimisten«. Auch als Gassenhauer gesungen nach dem Krokodilmarsch (»Flotte Bursche« von Fahrbach); vgl. auch S. 82 Krokodil- und Helgoländer-Marsch.

S. 56. *Was is mich das* ... Von F. Rüthling (vgl. oben Anm. S. 141 Wassermaus und Kröte) in »Museum komischer Vorträge«. Zit. nach Kokes, Schlagworte des Humors. Leipzig 1891, S. 46.

S. 57. *Kettenreime.* O. Dähnhardt (s. o), 1, Nr. 272. Solche Kettenreime, wie in dieser Kinderpredigt, sind sehr alt; ein frühes Beispiel stammt aus dem 14. Jahrhundert. Nach Joh. Lewalter und Georg Schläger, Deutsches Kinderlied und Kinderspiel, Kassel 1911, das folgende (»Es war einmal ein Mann«). Manchmal wird noch ein derber Schluß angehängt, der ähnlich lautet wie bei »Es war einmal ein Mann, der hieß Bimbam ...« – Eine andere Anwendung hat der Kettenreim in den Kinder-Auszählsprüchen (»Ein Mann hatte einen Garten, In dem Garten stand ein Baum ...«) gefunden.

S. 59. *Schnaderhüpferl.* »Dreizehn Polizeimann« und »Die Vögel« nach Walter Kainz, Schnadahüpfl aus Steiermark und Kärnten. In: Zeitschrift f. Volkskunde, N. F., Bd. 4, 1933. »Mein Schwesta ...«, »Für d' Flöh ...«, »Da Pfarra ...« nach E. K. Blümml u. F. S. Krauß, Ausseer und Ischler Schnaderhüpferl, Leipzig 1906. »Da unten ...« und »Grün ist ...« bei K. Wehrhan, Frankfurter Kinderleben ..., 1929.

S. 60. *Mein Nam is Gottlieb Käsebier.* Verwandt mit Versen, die beginnen »Auf der Festung Königstein«, erfreuen sich diese parodistischen Beschreibungen von »Gottliebs Heim« großer Beliebtheit. Vieles davon aufgezeichnet von Ludwig Steglich in den »Mitteldeutschen Blättern für Volkskunde«, Jg. 3, 1928 u 4, 1929.

S. 61. *Zwischenraum-Idylle.* Gekürzte Fassung (6 Verse) bringt »Welthumor in 6 Bänden«, Bd. 5, München 1925. In den »Flieg. Blättern« (Bd. 80, Nr. 2013) nur die folgende Fassung:
Hier stehen Bäume,
Da stehen Bäume
Und dazwischen
Zwischenräume.
Man denkt dabei an Morgensterns »Lattenzaun, mit Zwischenraum, hindurchzuschaun«.

S. 61. *Veilchen stellt ein braves Kind.* Aus: B. Brecht, Alfabet 1934. In: Bertolt Brecht, Gedichte und Geschichten. Ill. v. Elizabeth Shaw. Berlin 1958, S. 41.

··· 146 S. 62. *Ward ich zum Flug* ... Bei Hartleben zitiert in der »Novelle vom guten Kurt«.

LEBERREIME

S. 65. *Alte Leberreime.* 1–3. »Jungfer Euphrosinnen von Sittenbach züchtige Tisch- und Leber-Reime an ihre Gespielinnen«, Leberstatt 1675, die als Anhang zu der »Ethica complementoria, das ist Complementir-Büchlein«, Amsterdam 1675, erschienen sind. Verfasser oder Bearbeiter des Complementir-Büchleins ist Georg Grefflinger, von dem wahrscheinlich auch der seit 1665 erscheinende Anhang stammt. Ganz sicher ist das freilich nicht, denn Morhof hat als Verfasser der Tisch- und Leber-Reime seinen Lehrer Heinrich Schaeve bezeichnet. – »Jocoseria mensalia. Das ist: Etliche hundert schöne christ- und weltliche schertz und ernsthaffte Leber Reimen ...«, 1649.

S. 65. *Ch. F. Gellert.* Dieser zornige Leberreim des sanften Christian Fürchtegott Gellert soll entstanden sein, als er von einem gräflichen Tischnachbarn in einer Gesellschaft unablässig mit »Er« angesprochen worden war. Da lief ihm die Leber über. Zitiert nach Siegfried Wisch, Kleine Chronik großer Geister. Leipzig 1940 S. 15.

S. 66. *Neuere Leberreime.* K. Schimper, der verdienstvolle Botaniker und Dichter (1803–67), bringt am Schluß seiner Gedichtsammlung mehrere hundert meist sehr matte Leberreime.

KLAPPHORN-VERSE

Als Sammlungen von Klapphornversen werden bibliographisch genannt: Spottvogel, H., 99 neue Klapphornstrophen. Brandenburg: Müller 1885 und Lichterfeld, M., Die neueste Fuhre Klapphornverse, Leipzig: H. Beyer 1896. Das Auskunftsbüro der deutschen Bibliotheken konnte diese Schriften jedoch in keiner deutschen Bibliothek nachweisen. Auch Antiquariatsgesuche blieben erfolglos, was nicht verwunderlich ist, da es sich um unbedeutende Broschüren gehandelt haben dürfte. Dagegen besitze ich selbst eine noch frühere Sammlung: Hundert Strophen à la Klapphorn!, gesammelt von Heinrich Stillfried. Görlitz 1884. Druck und Verlag von C. Dünnhaupt. Sie wird als vierte Auflage bezeichnet, umfaßt 40 Seiten, 8°; der illustrierte Broschürenumschlag trägt den Text: Zwei Knaben haben hinterm Ofen / gedichtet hundert Klapphornstrophen / besonders aber der eine, nämlich / der ande-

re war dazu zu dämlich! In Kommission bei Th. Stauffer in Leipzig.
Als weiteres Beispiel der Klapphorn-Seuche besitze ich ferner: Klapphorn-Strophen und sonstige poetische Sünden in Musik gesetzt. Ein lustiges Liederalbum für fidele Sänger und Gesellschaftskreise von O. Fuchs, Heft 1. 2., 2. Aufl., Jul. Heinr. Zimmermann, Leipzig o. J. Auch Rudolf Greinz hat seine humoristischen Erstlinge (Prof. Theoph. Knasterbart, Leipzig 1885; Die Studenten, Görlitz 1885) »Verse à la Klapphorn« genannt. Unsere Proben sind vorwiegend den »Fliegenden Blättern« selbst entnommen (vom Jahre 1878–86).

Nachtrag zu den Klapphörnern

Zur Geschichte der Klapphorn-Strophe bemerken wir noch, daß die Redaktion der »Fliegenden Blätter« bei Erfindung der Klapphorn-Verse inspiriert worden sein mag von Ludwig Höltys Gedicht »Das Feuer im Walde«.
Es beginnt nämlich: »Zween Knaben liefen durch den Hain ...«, fand Aufnahme in viele Schullesebücher des 19. Jahrhunderts und zählte zu den Gedichten, die die Kinder häufig auswendig lernen mußten. Diesen Hinweis verdanke ich Herrn Erich Biehahn, Berlin.

S. 74. Zwei Knaben stiegen auf eine Leiter. Schlußstrophe aus dem »Alfabet 1934«. Enthalten in Bertolt Brecht, Gedichte und Geschichten. Ill. v. Elizabeth Shaw. Berlin 1957. S. 42.

GASSENHAUER UND SCHLAGER

S. 77. *Der liebe Augustin.* Ältester bekannter Druck: 1805 auf einem fliegenden Blatt, vermutlich aus Berlin. Das Lied stammt wahrscheinlich von dem Wiener Spielmann und Bänkelsänger Augustin Marx (†1705). Jedenfalls gilt der »liebe Augustin« als das älteste Wiener »Volkslied«.

S. 77. *Das Kanapeelied.* »Die Weise war zweifellos mit der zum Crambambuliliede gebräuchlichen identisch.« So M. Friedländer in »Verhandlungen d. 42. Versammlung deutscher Philologen und Schulmänner in Wien 1893«, Leipzig 1893, S. 401–403.

S. 77. *Der Hallesche Stiefelknechts-Galopp.* Der ulkige Name erklärt sich daraus, daß der vorschriftsmäßige Tanzschritt bei diesem Galoppwalzer viel Ähnlichkeit mit den Bewegungen beim Stiefelausziehen hatte. Diese Tanzmelodie war besonders zwischen 1820 und 1840 in Mitteldeutschland sehr beliebt. Eine frühe Lithographie (1832) von F. B. Dörbeck, Text mit Musik, wurde von Gustav Kühn, in Holz geschnitten, in seinen Neuruppiner Bilderbogen kopiert.

S. 78. *Lott' ist tot.* Die tote Lott' ist neben dem lieben Augustin der zäheste der älteren Gassenhauer gewesen. Er ist ebenfalls ein Galoppwalzer, von dem, wie es in einem alten Brief von 1828 (Fanny Mendelssohn an Klingemann) heißt, »die ganze Stadt (gemeint ist Berlin) widerhallt ... Unzählige andere Verse zirkulieren, die aber zum Teil nicht vor weibliche Ohren gelangen«. Auch Zelter erwähnte diesen Gassenhauer in einem Brief an Goethe vom 10./23. Febr. 1828: »Ein Chanson, der hier verboten seyn soll. Weshalb? weiß ich nicht, und Gott weiß, wer es weiß.« Bereits 1828 war in Berlin eine abgewandelte Strophe, die auf die damals berühmte Nanette Schechner gemünzt war, in aller Munde. Die beiden letzten Verse lauteten auch:
Das ist gut, das ist gut,
Krieg' mer was zu erben.

S. 78. *Robinson, Robinson.* Dieser nach der Melodie von »Lott' ist tot« gesungene Gassenhauer hat sich in verschiedene Kommersbücher und Kinderliedsammlungen gerettet. Es sind wohl in Berlin entstandene Spottverse auf den französischen Luftschiffer Robertson, der nach 1800 in Berlin auftauchte. Sachlich liegt offenbar eine Verwechslung mit dem Luftschiffer Blanchard vor, der mit einem Fräulein Simoné aufgestiegen ist. Die »Jugend« brachte 1897 diese Verse mit einer hübschen Zeichung von Julius Diez.

S. 79. *Auf einem Omnibus.* »Das schöne Lied« von dem Mechaniskus, das Heinrich Seidel 1892 in einem Brief erwähnt, wird nach 1868 entstanden sein. Es ist nämlich dem »Schattentanz« aus Meyerbeers Oper »Dinorah« (1859), die 1868 im Berliner Opernhause aufgeführt worden war, nachgebildet.

S. 79. *Die Stuhl-Hulda.* Über ihre Entstehung erzählt Ludwig Riemann (in der Zeitschrift »Das deutsche Volkslied«, Jg. 4, 1902, S. 117): »Der alte, urkomische Berliner Bendix wird eines Tages gefragt, ob er keine neue Idee hätte. Nach kurzem Besinnen und Zögern (wegen der Sinnlosigkeit) fängt er an zu singen ... Blitzschnell verbreitet sich diese Weise, und nach acht Tagen wurde sie bereits am Rhein gesungen.« Nach der Mazurka La Czarina von Louis Gannes.

S. 80. *Du bist verrückt, mein Kind.* Diesen Text, der bald zum geflügelten Worte wurde, legte man dem Marsch »Vorwärts mit frischem Mut« aus der Operette »Fatinitza« von Suppé (Wien 1876) unter. Ausnahmsweise dürfte dieser Gassenhauer nicht in Berlin entstanden sein.

S. 80. *Fischerin, du kleine* ... Walzerlied von Ludolf Waldmann, dem Komponisten des »Schunkelwalzers«, ursprünglich aus dessen Operette »Inkognito« stammend. Es wurde die musikalische Schlagersensation von 1887 und 1888 und schlug den »Mann mit dem Koks« aus dem Felde. Die kleine Fischerin trat in den achtziger Jahren von Berlin aus ihre Reise um die Welt an – bis nach Kalifornien und Australien. Der Afrikaforscher Gustav Nachtigal begegnete ihr in Kamerun. Im Jahre 1887 wurden 109 000 Exemplare dieses Walzerliedes abgesetzt. Gerhart Hauptmann verwendet es in seinem Schauspiel »Dorothea Angermann« (1926). Vgl. auch Kokes, Schlagworte des Humors. Leipzig 1891, S. 54–55.

S. 81. *Der Mann mit dem Koks.* Eine Parodie des Walzerliedes »Er soll dein Herr sein« aus Millöckers Operette »Gasparone« (1884), die so beliebt war, daß sie noch weitere volkstümliche Bildungen veranlaßte (»Mutter, der Referendar ist da«). Studenten übersetzten das Lied in die verschiedensten Sprachen, z. B. so:
O mater, homo cum cokes adest.
Apage, mihi jam notum est!
Pecuniam? Ego – nullam!
Qui eum misit? me miseram!

S. 81. *Der geliebte Schwiegersohn.* Dieses Couplet mit fünf Strophen von Alfred Schmasow wurde auf die Melodie der alten Kreuz-Polka, komponiert von Felix Jäger (1890), gesungen.

S. 81. *Der verrückte Schwiegersohn.* Der Kehrreim eines längeren Textes, den man der ab 1880 viel getanzten »Berliner Kreuzpolka«, komponiert von Felix Jäger, unterlegt hat. Text von Alfred Schmasow.

S. 82. *Pflaumenwalzer.* Das Titelblatt dieses Gassenhauers nennt Adolf Behling als Urheber. Die Melodie ist dem Walzer »Märchen« des Wiener Kapellmeisters Komzak entnommen. Komzak hat seine Mitwirkung an dieser Komposition entrüstet abgelehnt.

S. 82. *Krokodilmarsch.* Der historische Kern: 1890 wurde in Berlin ein Krokodil gezeigt, das, wie man sich im Spaß erzählte, vom Nil bis nach Hamburg geschwommen sein sollte. Die Melodie ist dem damals in Berlin bekanntgewordenen Marsch »Flotte Bursche« von Philipp Fahrbach jun. entlehnt.

S. 82. *Die Holzauktion.* Viele der erfolgreichsten Couplets sind durch Textunterlegung zu beliebten Konzertstücken entstanden: aus dem Rheinländer Franz Meißners wurde so »Im Grunewald...« 1891/1892.

S. 83. *Auf der grünen Wiese.* 1891 war Helgoland an Deutschland gekommen. Es stellte sich sogleich ein dringendes Bedürfnis nach einem unterhaltenden Helgoländer Tanz ein. Dem half man mit diesem Gassenhauer ab. Die Melodie wurde dem »Flotte-Bursche-Marsch« (siehe oben »Da unten in der Elbe«) entlehnt, ihr wurden in Berlin diese Worte untergelegt. Überschrift: Helgoländer Marsch!

S. 83. *Oh, Susanna.* Auch bei K. Wehrhan, Frankfurter Kinderleben in Sitte und Brauch, Wiesbaden 1929. Zugrunde liegt ein »Humoristischer Rheinländer« von Wilhelm Hinsch, der in vornehmer hochdeutscher Fassung nur die erste Strophe aufweist; der letzte Vers lautet dort: »Oh, Susanna, wie schmeckt das Bier so schön!«

S. 84. *Immer an der Wand lang.* Text: Hermann Frey, Musik: Walter Kollo. Vgl. Hermann Frey, Immer an der Wand lang. Allerlei um Hermann Frey. Berlin 1940. Dort berichtet Frey über die Entstehung seines Bummelliedes. Bald nach der Jahrhundertwende ist es auch im Repertoire des Coupletsängers Robert Steidl anzutreffen. Berühmt geworden ist dieses Couplet als Einlage zu dem Einakter Freys »Sherlock Holmes in Treuenbrietzen«, aufgeführt im Buggenhagen-Etablissement am Moritzplatz in Berlin.

S. 84. *Male, Male.* Von Otto Teich. Deutsches Kommersbuch, Reutlingen (1907). Entstanden vor 1900.

S. 85. *Rrrollmädel.* K. Wehrhan, Frankfurter Kinderleben in Sitte und Brauch, Wiesbaden 1929. Refrain eines mehrstrophigen Liedes aus einer Metropol-Revue um 1905.

S. 85. *Komm, hilf mir mal die Rolle drehn.* Eine gelungene Nummer des unverwüstlichen Hermann Frey. Musik von Walter Kollo. Das

Lied erschien 1908. Die Wäscherinnen in Gerhart Hauptmanns »Dorothea Angermann« (1926) singen diesen Refrain. Vgl. Hermann Frey, Immer an der Wand lang. Allerlei von Hermann Frey. Berlin 1940.

S. 85. *Puppchen.* Aus der Posse »Puppchen«, Musik von Gilbert, Text von Schönfeldt. Uraufführung von »Puppchen« in Berlin 1911/12. Die Melodie war im 1. Weltkrieg ganz besonders populär.

DAS BLAUE VOM HIMMEL HERUNTER

Wegen seiner reichen Literaturangaben und Hinweise noch immer wertvoll ist das Buch von Carl Müller-Fraureuth, Die deutschen Lügendichtungen bis auf Münchhausen, Halle 1881. Eine frühe praktische Anwendung der verschiedensten Arten von »Lügen« bietet das Volksbuch vom Finkenritter, um 1560 in Straßburg erstmals im Druck erschienen, eingeteilt in acht Tagreisen benannte Kapitel. Außer eigentlichen Lügenstücken hat der Finkenritter die verschiedensten Elemente des Komischen aufgenommen. Von neueren Sammlungen nennen wir: »Lügenmärchen aus alter und neuer Zeit«. Gesammelt von C. Narein. Mit Zeichnungen v. Kurt Halbritter. Stuttgart 1962. Sie enthält Lügengeschichten aus aller Welt. Wenn Tiere, besonders der schnellfüßige Hase, sich in der »Verkehrten Welt« an seinen Verfolgern, dem Hund oder gar dem Jäger selbst, rächen oder über sie zu Gericht sitzen, so ist das im Grunde echte Umkehrung der Wirklichkeit. Stellte doch das mittelalterliche Gericht Tiere vor seine Schranken und bestrafte sie auch. Solche Klagen gegen Tiere sind seit dem 8. Jahrhundert belegt und haben sich bis ins 18. Jahrhundert, besonders in England, erhalten. »So exkommunizierte z. B. der Bischof von Laon im Jahre 1120 die Raupen und Feldmäuse in seiner Gemeinde, und in dem Kloster Val Richter wurde den Ratten der Prozeß gemacht, weil sie einige kostbare Handschriften zerfressen hatten.« Sie wurden dann als Ketzer verbrannt. So bei Marie Theres Bergenthal, Elemente der Drolerie und ihre Beziehungen zur Literatur. Bonn, Phil. Diss. 1936.

S. 89. *»Guten Hut, meine Damen«.* Dieses in vielen, zum Teil erheblich längeren Fassungen bekannte Lügen-Sammelsurium ist mehrfach aufgezeichnet worden. Wir schließen uns der Fassung von Otto Stückrath, Nassauisches Kinderleben in Sitte und Brauch, Wiesbaden 1931/32, an. Bei dieser Erzählung denkt man auch an die volkstümliche Redensart »Schöner Tag, heute abend«.

S. 89. *Kuh.* Ebenfalls weit verbreitet. Nach Kurt Müller, Kinderreime aus Leipzig und Umgegend. In: Zschr. d. Vereins f. Volkskunde, 5, 1895, S. 200.

S. 89. *Hahn.* Das »Bergliederbüchlein« ist ein Unikum im Besitze der Universitätsbibliothek Leipzig. Eine historisch-kritische Ausgabe erschien 1936 in der Bibliothek des Literarischen Vereins in Stuttgart.

S. 90. *Lügenschnaderhüpferl.* Wie man sieht, taucht das Lügenmotiv auch im Schnaderhüpferl auf.

S. 90. *Unmögliche Dinge.* Diese auch von Uhland (Schriften zur Geschichte d. Dichtung u. Sage, Bd. 3, Stuttgart 1866, S. 213/14) in etwas veränderter Fassung aufgezeichnete Lied ist sehr alt: es geht bis ins 13. Jahrhundert zurück. Es wurde bei den Dithmarschen zum »langen Tanz« gesungen. Unsere Fassung nach E. K. Blümml, Beiträge zur deutschen Volksdichtung, Wien 1908, S. 32/33.

S. 92. *Der verkert pawer.* Hans Sachs, Sämtliche Fabeln und Schwänke, hrsg. von E. Goetze und C. Drescher, Bd. 3, S. 78/79, Halle 1900. Außer dieser Darstellung der verkehrten Welt sind noch andere bekannt. So z.B. ein Scherzbilderbogen für Kinder aus dem 17. Jahrhundert, »Ein Newer Kunckelbrieff, die widersinnige Weldt genandt«, der im wesentlichen mit dem mern enthaltender Bilderbogen von der verkehrten Welt, ebenfalls aus dem 17. Jahrhundert, der in freier Umschöpfung wieder aufgenommen ist in den Zeichnungen von Ludwig Rosenberger, Das Ei des Columbus (München 1937). Auch der Finkenritter verwendet die verkehrte Welt. Erinnert sei schließlich auch an Hans Sachs' Schwank »Die hasen fangen und praten den jeger« (1550). Vgl. hierzu Camillus Wendler, Die verkehrte Welt. In: Zschr. d. Vereins f. Volkskunde. Jg. 15, 1905, S. 158–163.

SPRACHLICHER UNSINN

Zu diesem ganzen Kapitel verweisen wir auf den gehaltvollen Aufsatz »Humor und Spieltrieb in der deutschen Sprache« von O. Behaghel (Neophilologus, Jg. 8, 1922, S. 180–193). Die Anordnung der Proben erfolgt nach Gruppen, die im Text nicht kenntlich gemacht sind, um die Lektüre nicht zu stören.

S. 101 ff. *Die Wiederholung.* »Es war einmal ein Mann, der hatte sieben Söhne. Die sieben Söhne sprachen: »Vater erzähl uns eine Geschichte.« Der Vater, der begann: »Es war einmal ein Mann, der hatte sieben Söhne. Die sieben Söhne sprachen: ...« Die komische Wirkung dieses altbekannten Kinderscherzes beruht auf der mehrfachen Wiederholung derselben an sich nicht komischen Sätze. Schon die mehrfache Wiederholung einer Silbe – »die Ururururgroßmutter« – wirkt komisch. Der Umfang des Wiederholten ist also ganz nebensächlich. Das Volkslied benutzt diese Mittel: »Wenn der Topp aber nun a Loch hat...«, das Studentenlied bemüht dazu den »Versoffnen Hammerschmied«. Oder die Wiederholung beschränkt sich auf einzelne Wörter, wirksam besonders im Endreim, oder auf einzelne Wendungen und Sätze. Die Wiederholung gehört übrigens auch zum unentbehrlichen Requisit klassischer und neuerer Lustspieldichter (Musterbeispiel: Harpagon in Molières »Geizigem«).

S. 101. *Laurentia.* Wohl schon älter, vermutlich um 1890 entstanden.

S. 102. *Kunz von Kauffungen.* Schon in »Goepels deutschem Lieder- und Commersbuch«, 2. Aufl. Stuttgart 1858, war der Verfasser dieses Liedes abhanden gekommen. Und ist es – oh, Schande – auch geblieben, u.a. bis in die Auflage von »Dunkel war's, der Mond schien helle...« (1958). Dank einem Hinweis von Herrn Professor Dr. Hans Widmann, Tübingen, können wir nun die Ehre Viktor Scheffels retten. Vgl. H. Widmann, Zitate und ihre Schicksale. In: das werck der bucher. Eine Festschrift f. Horst Kliemann ... Hrsg. v. Fritz Hodeige. Freiburg i. Br. 1956 S. 79–80.

S. 105. *Liebster Stoll.* W. A. Mozart, Brief an Anton Stoll, 12. Juli 1791.

S. 106. *»Sagga«-Lieder.* An diesen beiden Proben sieht man, daß das Wiederholungsmotiv sich auch in den Schnaderhüfperln findet. Besonders amüsant in dem Kurzstropher:
Deandl, nimm mi, sag i;
Wen denn, sagt's, hats g'sagt, sagt's, wia di.

In diesem Zusammenhang ist auch daran zu erinnern, welche große Rolle diese »sagt-er«-Wendung in der mündlichen Rede des Volkes, besonders bei Wiedergabe von Gesprächen, spielt. In seinem Liederspiel »Wiener in Berlin« (1824) verwendet Karl von Holtei die

»sagt-er«-Wiederholung in einem einst viel gesungenen Lied, dessen erste Strophe lautet:
In Berlin, sagt' er,
Mußt du fein, sagt' er,
Und gescheit, sagt' er,
Mußt du sein, sagt' er,
Denn da habens, sagt' er,
Viel Verstand, sagt' er,
Ich bin dort, sagt' er,
Schon bekannt.

S. 106 ff. *Zungenproben.* Wir beschränken uns auf Wortkuppelungen, die den Wiederholungen insofern nahestehen, als auch sie letzten Endes nur Übertreibungen ganz alltäglicher Sprachformen sind, nämlich Übertreibungen von zusammengesetzten Wörtern. Zungenproben sind jedem aus der Kindheit geläufig; wir erinnern nur an den »Konstantinopolitanischen Dudelsackpfeifergesellen« und an die berühmte Frau Weiße aus Meißen mit ihrem wohl geschlissenen Schleißenscheit, an die stabreimenden Schnellsprechsätze: »Der Kottbuser Postkutscher putzt den Kottbuser Postkutschkasten« oder »Eine jute jebratene Jans mit jutem Jurkensalat und mit juten joldenen Jabeln jejessen ist eine jute Jabe Jottes« – selbst für einen echten Berliner keine Kleinigkeit!

S. 107. *Des vers un peu plus longs* ... Zitiert nach »Welthumor in 6 Bänden«, Bd. 3, München 1925.

S. 109 ff. *Umstellung.* Eine Weiterführung der Wiederholung, die einzelne Glieder wiederholt, zugleich aber wie Bälle durcheinander wirbelt. Die engste Form solcher Umstellungen sind die bekannten Schüttelreime, von denen in den dreißiger Jahren mehrere hübsche Sammlungen erschienen sind. Beispiel: »Ich gehe in den Birkenwald / Denn meine Pillen wirken bald.« Also Umstellungen im selben Wort. Im Prinzip gleich sind Variationen von Sätzen. Die berühmteste Variation dieser Art ist der zum geflügelten Wort gewordene Mops, der mit der Wurst über'n Spucknapf springt. Wesentlich ist aber, daß es sich in diesen Fällen nicht nur um eine mechanisch gekreuzte Wiederholung der Wortteile oder Wörter handelt, sondern daß sich dadurch zugleich auch neuartige sachliche Verknüpfungen einstellen. Sobald sich keine sachlichen Beziehungen mehr ergeben, gehören diese Scherze ins Gebiet der sprachlichen Zerstörungen.

S. 110. *Wenn der Mops mit der Wurst*... Enstanden als unterlegter Text zu den Anfangstakten des Radetzkymarsches. In den »Fliegenden Blättern«, in denen meines Wissens diese berühmte Scherzfolge zum ersten Male aufgezeichnet ist, ist jede Variation mit einer Abbildung versehen. Die erste und die letzte Zeichnung sind C. R., d. i. Carl Reinhardt, gezeichnet. Höchstwahrscheinlich handelt es sich aber hier um studentischen Blödsinn, der erheblich älter ist als diese erste bekannte Aufzeichnung in den »Fliegenden«. Erwähnenswert ist noch, daß in den »Fliegenden Blättern« eine »Bruno Nase« gezeichnete Vorrede vorausgeschickt ist, in der versichert wird, daß diese Verse nicht politisch gemeint seien. A. Treichel hat vermutet, daß das Ganze eine Verhöhnung eines Gedichtes »Wenn der Mut in der Brust seine Spannkraft übt« von König Ludwig I. von Bayern sei. Nach G. Schläger (Dt. Kinderlied und Kinderspiel von J. Lewalter u. G. Schläger, Kassel 1911) ist aber festgestellt worden, daß ein solches Gedicht in der Ausgabe der Gedichte Ludwigs I. (1829–47) sich nicht findet.

S. 115 ff. *Zerstörungen*. Das Piprikaschnatzel, der Schiedunter, die Ibiche des Kranikus, Da verstehen Sie mich miß – unübersehbar ist das Feld der Zerstörungen des herkömmlichen Wortbildes oder Satzgefüges, in der Sprache der Kinder ebenso wie in der Sprache des Erwachsenen. Es soll höchst ernsthafte Männer geben, die, ähnlich den leidenschaftlichen Schüttelreimern, von dieser Sucht, die sprachlichen Formen umzustellen, gar nicht mehr loskommen, so daß sie auch unfreiwillig ins Stolpern geraten. So wenn der Medizinprofessor in einer anatomischen Vorlesung erklärt: »Meine Herren, ich komme jetzt zur Besprechung des Geknörhöchelchens« oder wenn der Faust-Darsteller zu seinem Pudel sagt: »Purre nicht, Knudel« – Fehlhandlungen, die sehr oft auf eine ausgeprägte Neigung zum bewußten Zerstören sprachlicher Ordnung zurückgehen. Als »Druckfehlerteufel« oder unter dem Vorwand eines das Deutsche nicht völlig beherrschenden Ausländers werden die korrekten Sprachformen nach den verschiedensten Seiten hin gern entstellt. Bisweilen handelt es sich auch nur um Akzentverlagerungen, vielfach in Form von Scherzfragen: Mänäbteheu? (Mähn Äbte Heu?), Äbtemännieheu (Äbte mähn nie Heu). Derlei ist sehr alt. Schon in Johann Fischarts Geschichtsklitterung (Gargantua) finden sich Beispiele dafür. Endlich erstreckt sich die Zerstörung auch darauf, an Stelle von Wörtern Satzzeichen, die mitzulesen sind, oder Zahlen zu setzen.

S. 118. *Magyarisches Schilflied.* Auch hier wieder, wie häufig bei der Unsinnspoesie, literarische Assoziationen:
»Auf dem Teich, dem regungslosen,
Weilte des Mondes holder Glanz...«
Das ist der Anfang des »Schilfliedes« von Nikolaus Lenau.

S. 118 ff. *Kuddelmuddel.* Eine große Gruppe von Sprachscherzen treibt ihr Spiel mit dem Sinn der Wörter. Da sind vor allem die Kuddelmuddel-Lieder und -Gedichte zu nennen, die auf Übertreibung der Potpourriform beruhen. Das kann man mit Liedanfängen genausogut machen wie mit bekannten Sätzen, Zitaten zum Beispiel.

S. 118. *Fünf Lieder auf einmal.* Dort, in mehreren Strophen, verzeichnet als aus dem »Daheim«.

S. 121. *Zeitungsquerschnitt.* Von Lichtenberg selbst als »Nachahmungen der englischen Cross readings« bezeichnet.

S. 122. *Die böse Schwiegermama.* Dieses von allen Marschierenden viel gesungene Potpourri wird ganz verschieden eingeleitet und verschieden weitergeführt.

S. 122 ff. *Der Witz.* Wer den Sinn im Unsinn aufspüren will, kann natürlich am Witz nicht vorübergehen. Er erscheint in einer Reihe von Formen: auf der untersten Sprosse der rein akustische Witz, der Klangwitz oder Calembour, der mit dem bloßen Klang der Wörter und Silben spielt, auf der höchsten Sprosse das tiefsinnige Gedankenspiel, dessen vollendetste klassische Erscheinungsform das Epigramm ist. In allen seinen Formen vom Klangwitz bis zum Sachwitz, fußt er auf einer lautlichen Übereinstimmung, die den Schein sachlicher Einheit erweckt.

S. 126. *Die Leutseligkeit Karls des Großen.* Manche erzählen sich diese und andere Geschichten auch von dem großen Redner Cicero.

S. 128. *Kaum möglich.* Dieses »Verzeichnis einer Sammlung, von Gerätschaften, welche in dem Hause des Sir H. S. künftige Woche öffentlich verauktioniert werden sollen« umfaßt 30 Punkte. Das »Messer ohne Klinge ...« ist das klassische Beispiel für die contradictio in adjecto geworden. Aber vielleicht verdankte Lichtenberg diesen Einfall nur seiner Belesenheit, denn ein von E. Grisebach (Weltlitt.-Katalog, 2. Aufl. 1905, Nr. 2626) verzeichneter »Catalogus von den rarsten Büchern ...« von 1720 enthält u.a.: »Ein gantz neues Trenchier-Messer ohne Klinge und Hefft ...«

S. 129. *Bericht.* In einem Schnaderhüpferl heißt es: »Mein Vater is aagestellt / Am Hofopernhaus / Do bläst er im Orchester / Die Petroleumlampen aus.« Der gleiche Trick, aus der eingeschlagenen Gedankenbahn zu springen, liegt auch der volkstümlichen Redensart »Meine Tante hat fünf Häuser – wohin sie waschen geht.« zugrunde. (Vgl. hierzu auch S. 46 »Dir wünsch ich ...«).

S. 129. *Umschwung.* Diese auch heute noch beliebte Ansprache wird dann meist – mit den entsprechenden Zwischenrufen – fortgesetzt: »Doch wir haben ihn« – »an der Grenze« – »n i c h t mehr erwischt«. »Aber er kam wieder« – »mit der Kasse!« – – »aber die war leer!«

S. 129. *Sie hat ein kindliches Gemüt.* Curt Müller, Parodistische Volksreime aus der Oberlausitz. In: Zeitschrift des Vereins für Volkskunde. 15. 1905, S. 280. Untergeschobener Text zur »Washingtonpost«.

S. 130. *Beispielsprichwörter.* Auch Zitatensprichwörter oder Sagwörter genannt; besonders im niederdeutschen Sprachgebiet beliebt, aber auch in anderen Gebieten (Hessen-Nassau z.B.) anzutreffen. Sie sind übrigens auch in Holland, Skandinavien und England bekannt. Man denke an die köstlichen Weisheiten, die der unsterbliche Samuel Weller aus den »Pickwickiern« stets auf der Pfanne hat.
»Bong, sagte der Graf ...« und »Kaum, sagte der Ochse ...« sind mir nur mündlich bekannt. Ebenso »Lieber fünf Minuten feige ...«, das auch von Friedrich Seiler, Deutsche Sprichwörterkunde, München 1922, S. 431 verzeichnet wird. »Irren ist menschlich ...« ist dem Aufsatz »Beispielsprichworte in Hessen und Nassau« von Luise Berthold (Hess. Blätter f. Volkskunde, Bd. 23, 1924, S. 114) entnommen. Im übrigen sei verwiesen auf die reichhaltigen Sammlungen von Edmund Hoefer, Wie das Volk spricht. 10., verm. Aufl. Stuttgart 1898; Hermann Schrader, Der Bilderschmuck der dt. Sprache. 2. Aufl. Weimar 1894; Friedrich Seiler, Deutsche Sprichwörterkunde. München 1922. Einiges auch aus: Theodor Etzel, Von Löwen und Lausbuben. 2. Aufl. München u. Leipzig 1909.

··· 158 S. 133. *Schüttelreime.* Die Geschichte des Schüttelreims ist noch ungeschrieben. Einige Ansätze dazu hat Wendelin Überzwerch (d.i. Karl Fuß) gemacht; vgl. dessen Sammlungen: Aus dem Ärmel geschüttelt. Stuttgart 1935; Reimchen, Reimchen, schüttle dich! Stuttgart 1936. Unter den Schüttelreimern finden sich erlauchte Namen, z.B. Franz Dülberg, Erich Mühsam, Wilhelm Pinder, Paul Natorp und vor allem Anton Kippenberg (Schüttelreim-Pseudonym Benno Papentrigk) u.a.m. Vgl. hierzu das Kapitel »Schüttelreim« bei Alfred Liede, Dichtung als Spiel. Bd. 2. Berlin 1963, S. 112–115.

Für die Freunde des Lateins sei auf die hübschen lateinischen Schüttelreime hingewiesen.

Labitur dux –
dabitur lux.
Canescunt vani,
vanescunt cani.

Diese und andere in: Viva camena. Latina huius aetatis carmina. Collecta et edita ab Iosepho Eberle. Stuttgardiae 1961, S. 174–175.

2. Auflage 2012

Gestaltung Frank Eilenberger
Layout Atelier für grafische Gestaltung, Leipzig
Druck und Bindung CPI books GmbH
Printed in Germany
ISBN 978-3-86730-110-7